Hayykitap - 427
Doğal Beslenme - 14

Özel Beslenenler İçin Tarifler
Sıla Baki Alkan

Editör: Nihal Doğan

Kapak Tasarımı: Latif Çetinkaya
Sayfa Tasarımı: Turgut Kasay

ISBN: 978-975-2477-32-2
1. Baskı: İstanbul, Ekim 2017
4. Baskı: İstanbul, Mart 2018

Baskı: Yıkılmazlar Basım Yay.
Prom. ve Kağıt San. Tic. Ltd. Şti.
Evren Mah. Gülbahar Cad. No: 62/C
Güneşli - İstanbul
Sertifika No: 11965
Tel: 0212 630 64 73

Hayykitap
Zeytinoğlu Cad. Şehit Erdoğan İban Sk.
No: 36 Akatlar, Beşiktaş 34335 İstanbul
Tel: 0212 352 00 50 Faks: 0212 352 00 51
info@hayykitap.com
www.hayykitap.com
facebook.com/hayykitap
twitter.com/hayykitap
instagram.com/hayykitap
Sertifika No: 12408

badeninsekeri.com yazarından

ÖZEL
BESLENENLER
İÇİN
TARİFLER

UNSUZ • ŞEKERSİZ • TAHILSIZ • GLUTENSİZ

Sıla Baki Alkan

Sıla Baki Alkan

1984 yılında İstanbul'da doğdu. 2007 yılında İstanbul Kültür Üniversitesi İngiliz Dili ve Edebiyatı Bölümü'nden mezun oldu. BÜFOD ve M.E.B sertifikalı bir fotoğrafçıdır. Evli ve Bade isimli bir kız çocuğu annesidir.

Kızı Bade'nin henüz iki yaşındayken Tip 1 diyabet teşhisi almasından sonra hayat tarzını ve mutfağını tamamen değiştirdi. Aynı yıl kızı için hazırladığı özel tarifleri yayınladığı bloğu Bade'nin Şekeri'ni kurdu.

Bade'nin Şekeri, Türkiye'nin sadece rafine şekersiz, tahılsız, doğal ve glutensiz tarifler yayınlayan ilk blog/web sitesidir. Blog, hastalıkları yüzünden özel diyet uygulamak zorunda kalanların hayatını kolaylaştırmak için sık sık başvurduğu bir uğrak noktası, birçok doktorun hastalarına tavsiye ettiği bir kaynak haline gelmiştir.

Alkan, blogunun gördüğü büyük ilgi sonrası tariflerini *Özel Beslenenler İçin Tarifler* isimli bir kitapta topladı ve okuyucuları ile paylaşıyor.

Hayykitap'tan yayımlanan kitapları
Özel Beslenenler İçin Tarifler (Unsuz, Şekersiz, Tahılsız, Glutensiz), Ekim 2017

Tüm ailem, ama en çok da Bade için...

İçindekiler

Dr. Ümit Aktaş'tan Sunuş

Kendisine 'modern tıp' adını veren kimyasal tıp ekolü, insanlara her türlü kimyasal ilacı vermekten asla çekinmez, ama beslenmeyle de hiç ilgilenmez. 'Modern' olduğunu iddia eden tıp ekolüne göre, insanlar tarih boyunca bir şekilde beslenmiştir ve burada tıbbı ilgilendiren bir şey yoktur. "Ne yerseniz yiyin, abartmadan yiyin" gibi muallak cümlelerle durumu geçiştirirler. Bu tutum sakın bir şuursuzluk gibi algılanmasın, tam tersine bilinçli ve planlı bir 'ilgisizlik' söz konusudur, tıp fakültelerinde beslenme dersi bile okutulmaz, doktorların beslenme öğrenmeleri istenmez, beslenme-sağlık ilişkisi anlatılmaz.

Oysa beslenme, sağlıklı yaşamın temelidir. Doğru beslenmiyorsanız, sağlıklı da olamazsınız. Hipokrat *"Ne yerseniz osunuz"*, İbn-i Sina *"Şifa yemeğin hazmedilmesindedir"* diyor. Kadim bilgi, beslenmenin önemini kavramıştır ve binlerce yıl boyunca hem sağlığı korumak için, hem de hastalıkları tedavi etmek için beslenmeyi kullanmıştır. Fakat, tüm bu kanıtlar, kimyasal tıp ekolünü ikna etmeye yetmez.

Her birimiz vücudumuzda nerdeyse 350 m² büyüklüğünde bağırsak taşıyoruz. Bağırsaklarımız bizim ikinci beynimiz. Bağırsaklarımızda beynimizdeki kadar sinir hücresi var, tüm bağışıklık hücrelerimizin %70'i bağırsaklarda bulunuyor ve bağırsaklarımızın içinde vücudumuzu oluşturan hücre sayısının 10 katı kadar da probiyotik bakteri bulunuyor.

Neden bu kadar büyük bağırsaklarımız var? Neden beynimizdeki kadar sinir hücresi taşıyoruz bağırsaklarımızda? Neden bağışıklık sistemi hücrelerimizin %70'i orada? Niye bağırsaklarımız bu kadar kalabalık, bu kadar çok probiyotiğin ne işi var orada?

Çünkü sağlığımız için en önemli olan fonksiyon bağırsaklarda gerçekleşiyor: Sindirim. Vücudunuza girecek faydalı ve sağlığınız için gerekli maddeler bağırsaklarınızdan giriyor, zararlı maddeleri uzaklaştırıp sizi koruyan da bağırsaklarınız, canlılığın devamı için bağırsaklar vazgeçilemez görevler yerine getiriyor. Bu sebeple bu kadar büyük, çok akıllı çalışması gerektiği için bu kadar sinir hücresi var, işi çok, bu işleri yerine getirecek işçileri olması gerek, probiyotikler 'sindirim işçileri' olarak çalışıyor ve bağışıklık sisteminiz için ana organ.

İnsan vücuduna bir bütün olarak yaklaştığınızda, gerek hastalıklardan korunmak; gerekse hastalıkları tedavi edebilmek için beslenmeyi düzenlemeden başarılı olmanız imkânsız. Dolayısıyla kliniğime başvuran her hastanın hastalıklarına uygun şekilde muhakkak beslenmelerini düzenlerim. Hastalarıma uygun beslenme programlarını veririm ve beslenme düzenlenmeden şifanın mümkün olmayacağını anlatırım onlara.

Günümüzde tüm insanlar için ortak tehdit olan birtakım yiyecekler var: Başta gluten, şeker, tüm karbonhidratlar, işlenmiş gıdalar ve hazır maya. Hastalarıma verdiğim tüm beslenme programlarında bu maddelerden uzak durmalarını öğütlerim.

Bir yandan da, günümüzde artık bir salgın hastalık halini alan diyabet hastalığı problemi var. Diyabet, baş döndürücü bir hızla artıyor. Bu artışın altında yatan en önemli sebep, karbonhidratların ve gluten içeren tahılların aşırı miktarda tüketilmesi ve insanların sağlıklı yağlardan uzaklaştırılmasıdır. Topluma sağlıklı beslenme adı altında empoze edilen yağdan yoksun ve tahıldan zengin beslenme modeli, tüm dünyada diyabet ve obezitenin patlamasına yol açtı. 1998'den 2010 yılına kadar ülkemizde diyabet hastalığının görülme sıklığı %90 artış gösterdi. 'Prediyabet' dediğimiz diyabete aday hastalarda ise kelimenin tam manasıyla patlama yaşanıyor: 12 yıl içinde prediyabet oranı, tam 4 kat artış gösterdi!

Tablo çok vahim. Bu noktaya gelmemizdeki en önemli sebep, beslenme yanlışları. Bu tabloyu düzeltmenin yolu da, yine beslenmenin doğru şekilde düzenlenmesinden geçiyor. Eğer beslenme doğru şekilde düzenlenmezse, önümüzdeki kırk yıl içinde toplumumuzun tamamı diyabet hastası olabilir.

Beslenme tavsiyeleri verdiğimiz insanların, bu tavsiyelere uyabilmesi için, glütenden, karbonhidrattan, şekerden, işlenmiş gıdadan uzak durması gerekiyor. Tabii ki, bu gıdaların yerine de sağlıklı alternatiflerini koymaları gerekiyor.

Yıllar boyunca, beslenmesini düzenlemekte kararlı ve istekli olan, ancak alternatif sağlıklı gıda bulmakta zorlanan tüm hastalarıma "Bade'nin Şekeri" sayfasını tavsiye ettim. Sevgili Sıla Baki Alkan, kendi kızı güzel Bade için hazırladığı şifa dolu tarifleri, bir yandan da sosyal medya aracılığı ile paylaştı ve hastalarımızın sağlıklı gıda arayışlarında yollarına ışık oldu. Bugün, bu hayırlı çabasını bir adım daha ileriye taşıdı ve herkesin mutfağında kılavuz olacak bir kitap haline getirdi. Takdir edilmesi gereken bir emek ve özveri gösterdi.

Bu faydalı kitap, her okuyana şifa olsun. Mutfağını sağlıklı bir şekilde düzenlemek isteyen tüm annelere ışık olsun. Umarım devamı gelir ve memleketimizdeki evlerde tekrar sağlıklı mutfaklarda pişen şifa dolu yemekler yenilir.

Dr. Ümit Aktaş
Bahçeşehir Üniversitesi Fitoterapi Eğitim Koordinatörü

Doç. Dr. Hasan Önal'dan...

Şeker beyindeki ödül merkezini hareket geçiren, ucuz ve temini kolay bir gıdadır. Bu özellikler şekeri önemli bir toplumun sağlık sorunu haline getirmiştir. *British Medical Journal*'da yeni yayınlanan bir makalede *"Şeker tütün kadar tehlikeli, zarar verici ve bağımlılık yapıcı olduğu için uyuşturucu sınıfına sokulmalıdır"* diyor. Gözünüzün önüne yeğeninize, çocuğunuza 'hediye ettiğiniz' çikolatalar, gofretler mi geliyor? İnsanı sigaraya, uyuşturucuya en yakınları alıştırır... Çocukları da 'şeker isimli zehir'e anne-babaları alıştırıyor.

Dünyada en çok tüketilen besin grubu tahıllar. En çok tüketilen tahıl da buğday. Türkiye, dünyada kişi başına en çok buğday tüketen ülke! Bir Türkiye Cumhuriyeti vatandaşının aldığı kalorinin yaklaşık yarısı buğdaydan (ekmek, bulgur, makarna vb) kaynaklanıyor. Aşırı glüten içeren hazır gıdalar (pasta, hazır çorba, soslar, gofretler vb) yememiz, günümüzde yediğimiz buğdayın melezleştirme yolları ile glüten içeriğinin artması da cabasıdır.

Glüten duyarlılığı, buğday proteini olan glütene karşı vücudumuzun oluşturduğu tahammülsüzlük (entolerans) haline verilen addır. Bugün gluten duyarlılığı şişmanlık, diyabet, depresyon, otizm, hiperaktivite, multipl skleroz (MS) gibi pek çok hastalık için kolaylaştırıcı bir faktör olmuştur.

Bir hekim olarak her gün onlarca aile görüyorum. Çocuklar için sağlıklı beslenme önerilerinde bulunurken başarılı olamayacaklarını için için hissediyorum. Bunun nedeni çocukların, anne ve babaların gıda endüstrisi, medya tarafından bir kuşatma altında olduklarını düşünmem. Glutensiz, şekersiz bir beslenme önerdiğimde bunların yerine yeni gıdalar koyamamak bu savaştaki en zayıf halka olmuştur. Bir bağımlıyı, bağımlılık duyduğu maddeden uzak tutmak için boşluğun doldurulması gerekir.

Ancak şimdi görüyorum ki yalnız değiliz artık. Bu kitap basit bir diyet kitabı olarak değerlendirilemeyecek kadar değerli. Kendimizi mutsuz etmeden, hayattan zevk alarak, glutensiz ve şekersiz bir hayatın mümkün olabileceğinin ispatı. Kitabın yazarının, hastamın annesi olması benim için ayrı bir mutluluk kaynağı... Sıla Hanım, gerçeği gözleriyle değil yüreğiyle aramış ve inanılmazı başarmış, hiç kimsede olmayan bir yıldıza sahip olmuş.

Doç. Dr. Hasan Önal
Çocuk Metabolizma Hastalıkları Uzmanı

Dr. Emin Mindan'dan...

Erişkin bir insan vücudunda yaklaşık 10 trilyon hücre vardır. Her hücre besleyicileri alır, ortaya çıkan atık maddeleri temizler ve ait olduğu organa hizmet eder. Gerekli gıdaları doğru kaynaklardan alırsak, ruhsal, zihinsel ve bedensel açılardan tam sağlıklı olabiliriz. Aldığımız gıdalar çeşitli metabolik işlemlerden geçtikten sonra kana karışarak her zerremize hayat verir.

Bütün bunların gerçekleşmesi için sindirim sistemimizin sağlıklı ve huzurlu olması gerekir. Sindirim sistemini bir tarla gibi hayal edersek, 280-300 m²'lik bir alan ortaya çıkar. Bu alanda vücudumuzdaki hücrelerin sayısından çok daha fazla yaklaşık 100 trilyon mikrop yaşar. İçimizde yaşayan bu komşu âlemde en az 500 çeşit canlı vardır, buna 'bağırsak florası' adını veriyoruz. Sağlıklı bir bağırsak florasında bu topluluğun %90'ı vücudumuza faydalı olan gruplardan oluşur.

Bu dost yardımcılar yani probiyotikler, gıdaların sindirilmesine yardımcı olan enzimleri üretirler, bağırsak geçirgenliğini azaltarak zararlı mikropları kovarlar, sedef, astım, egzama gibi alerjik hastalıkları önlerler, çeşitli toksinlerin vücuda girmesine engel olurlar, MS, otizm ve birçok yıkıcı hastalıkları önlerler, K ve B grubu vitaminleri üretirler, idrar yolları iltihabı ve böbrek taşlarına karşı koruyucudurlar ve bünyemizi güçlendirirler.

Ne var ki, son yüzyılda şeker, un ve diğer katkılı gıdaların aşırı tüketilmesi probiyotiklerin sayılarını azaltmış, çok çeşitli sessiz ve yıkıcı hastalıklar ortaya çıkmıştır. Kısırlık, doğumsal anormallikler, düşük doğum tartılı bebekler, alerjik hastalıklar, reflü ve diğer sindirim sistemi rahatsızlıkları, otizm, diyabet, şişmanlık, MS, romatizmal hastalıklar, kalp-damar hastalıkları ve diğer yıkıcı hastalıklar önlenemeyen bir salgın gibi insanlığı tehdit etmektedir.

2 yaş sendromu, hiperaktivite, dikkat dağınıklığı, konsantrasyon eksikliği, âdet öncesi gerginliği, depresyon, panik ataklar, baş-karın-eklem ağrıları adeta birçok insanın kaçınılmaz kaderi olmuştur.

Ulu önderimiz Mustafa Kemal Atatürk *"Yurtta sulh, cihanda sulh"* demiş.

Bizim de bağırsaklarımızda huzur olursa, tüm varlığımızda huzur olur.

Hipokrat, binlerce yıl önce, *"Yemeğiniz ilaç olsun"* demiş. Bugün maalesef ilaçlar yemeğimiz oldu. Hastalıkları teşhis eden teknolojiler ve üretilen ilaçlar arttıkça daha sağlıksız olduk.

Hekimliği seçen kardeşlerimizin hemen hepsi, en değerli varlığımız olan sağlığımızı emanet ettiğimiz iyi kalpli insanlardır. Ben de onlardan biriyim. Mezun olduğum zaman bir elimde antibiyotik ve diğer elimde de kortizon vardı. Yıllar geçtikçe bu iki silahı çok az kullanır oldum. Adeta dozlarını bile unuttum. Son 20 yılım, nasıl sağlıklı bebek sahibi olabiliriz, bebek bekleyen anne-babalar ne yapmalı, bebek, çocuk, sporcu beslenmesi nasıl olmalı, şişmanlık, diyabet, MS, âdet öncesi gerginliği, reflü, gaz sancısı, karın ağrısı, astım, egzama, hiperaktivite, dikkat dağınıklığı ve sık hastalanan çocuklarda doğru beslenmenin önemini anlatmakla geçti.

"Yediklerinize dikkat edin ve stresten uzak durun!" Bu sözü hepimiz hekimlerimizden defalarca duymuşuzdur. Vecize haline gelen bu sözleri çok komik buluyorum. Sanki stres, mahalle kabadayısı ve onu görünce karşı kaldırıma geçince kurtulacağız! Aslında ruhsal-zihinsel hastalıklar başta olmak üzere aklımıza gelen bütün hastalıklardan doğru beslenme, özel gıdalar ve doğal takviyelerle korunmak ve iyileşmek mümkündür. Bunun için, beraber ihtisas yaptığımız yol arkadaşım, kardeşim Merhum Prof. Dr. Ahmet Aydın'ın **7'den 70'e Taş Devri Diyeti** kitabı ve değerli kardeşimiz Doç. Dr. Hasan Önal'ın devam ettirdiği **www.beslenmebulteni.com** sitesi bütün sorularınıza cevap verecektir.

Şimdi 'yediklerinize dikkat edin' vecizesini çözelim. Sağlıklı beslenme milyonlarca yıl önce çok kolaydı. Bugün o kadar çok zararlı gıda var ki, bunları günah veya suç olarak düşünürseniz, hepimiz suçluyuz. Bedelini hastalık ve rahatsızlıklarla çekiyoruz.

Sağlıklı beslenme, kirlenen dünyamızda çok zor ama imkânsız değil. Bu dünyada sevdiklerimizle yaşamak, nefes almak, kuşları, çiçekleri seyretmek, kumda çıplak ayakla yürüyüp, güneşte yanmak istiyorsak, doğru beslenmeyi öğrenmemiz ve uygulamamız gerekir.

Sağlıklı beslenmek için, sebze yemekleri, salata, yumurta, köy tavuğu, et, balık, kefir, ev yoğurdu, peynir, zeytin ve kuruyemiş yemeliyiz. Yemeklerimize zerdeçal, zencefil, tereyağı ve zeytinyağı ilave edebiliriz. Yukarıdaki gıdalara çok az meyve ve sirkeli suda beklettiğimiz bakliyatları ilave edebiliriz. Aynı sıkıcı beslenmeyi ben de yıllardır uyguluyorum. Eskiden tattığım birçok gıdayı özlemiyorum desem yalan olur.

Birkaç ay önce kızım Aybike bana pizza yaptı, çok lezzetli olmuştu, un yerine sebze kullanmıştı. Tarifini **www.badeninsekeri.com** sitesinden aldığını söyledi. Bu şekilde Sayın Sıla Alkan Hanımefendi ile tanıştım. Un ve şeker yerine kullandığı sebze, kuruyemiş, tereyağı ve tarçın gibi baharatlarla enfes yemekler ve atıştırmalıklar hazırlamış. Sıla Hanım'ı tebrik ve teşekkür etmek için aradığımda *"Bir kitap yazıyorum önsöz yazar mısınız?"* diye sordular. Yazmak benim için çok zor olduğu halde heyecanla ve memnuniyetle kabul ettim.

Bu kitaptaki tarifler her branştaki hekim arkadaşların işini kolaylaştıracak ve hastalarının iyileşmesine en büyük katkıyı yaparken daha mutlu olmalarını sağlayacaktır. Özellikle diyabetli hastalarla uğraşan hekimlerimiz inşallah, hastalarına "Sabah 2 dilim kepek ekmeği, öğlen ve akşam ikişer yemek kaşığı makarna pilav, aralarda 2 ekşi elma" tavsiyesinden vazgeçerler.

Doktor muayenesinden sonra "Yediklerinize dikkat edin" sözünü duyan herkes bu kitaptan faydalanabilir. Sağlıklı bebek sahibi olmak isteyen anne ve babaların, bebeğin anne karnına düşmesinden 6 ay önce bu diyete uymalarında fayda vardır. Anaokullarında nutellalı ekmek ve keklerin yerine bu tarifler uygulandığında milyonlarca çocuğumuz antibiyotik zararlarından kurtulabilir. Bu tarifler çocukların sağlıklı büyümesine ve gelişmesine katkı sağlarken her yaştaki sporcuların performansını artırır.

Diyabet, hipertansiyon, şişmanlık, otizm, hiperaktivite, dikkat dağınıklığı, MS, depresyon, panik atak, egzama, astım, reflü, gastrit, âdet öncesi gerginliği, artrit, sedef, kalp, damar hastalıkları ve diğer yıkıcı hastalıklarla mücadele eden kardeşlerimiz için iyileşme yolunda ilk adım sağlıklı beslenme, özel gıdalar ve doğal takviyelerdir. Bu beslenmenin dışına çıktığımızda hastalıklarımız ilerleyebiliyor. İşte Sıla Hanım'ın tarifleri raydan çıkmamızı önlüyor, bize ışık tutuyor, özlediğimiz bazı lezzetlere de ulaşma imkânı sağlıyor ve hayatımızı renklendiriyor.

Sıla Alkan Hanımefendi'ye meslektaşlarım, sağlıkları ile ilgilendiğim dostlarım, çocuklarım, bebeklerim ve kendim için çok teşekkür ediyorum.

Bundan sonra çıkaracağı kitaplara önsöz yazmak dileğiyle saygılarımı sunuyorum.

Dr. Emin Mindan
Çocuk Sağlığı ve Hastalıkları Uzmanı

Giriş

Bayramlar, doğum günleri gibi özel günler veya sadece aile ve dostlarla geçirilen sıradan bir günde, hep beraber oturduğumuz sofralarda en lezzetli yemekleri yemek... Misafirlere ikramda bulunmak... Özel günlerde komşulara helva, aşure dağıtmak... Çocuklarınıza kekler, kurabiyeler pişirip onları sevindirmek... Tüm bunlar hayatımızın ne kadar da doğal ve basit kabul edilen parçaları aslında!

Öte yandan özel beslenenleri veya özel beslenmek zorunda kalanları kimse pek aklına getirmez. Misafirlerden birinin herhangi bir hastalığı olabileceğini çoğu kişi hesaba katmaz. Çoğu kişi kek, çikolata, şeker, kraker ikram ettiği çocukların hastalıkları sebebi ile özel bir diyet uyguluyor olabileceğini düşünmez.

Mesela çoğunluğun düşünmeden ağzına atıverdiği bir parça keki yiyebilmek için Tip-1 diyabetli bir çocuğun annesinin, çocuğunun o kekten ne kadar yiyebileceğine karar vermesi, yiyeceği miktarın içindeki karbonhidrat değerini bilmesi ve o değere göre hesaplama yaparak insülin enjeksiyonu yapması gerekir. Gaps diyeti uygulayan otizmli bir çocuğa o kek yasaktır. Çölyaklı bir çocuğun o keke temas etmesi bile sakıncalıdır.

Çevrenizde, aileniz, arkadaşlarınız, tanıdıklarınız arasında mutlaka çağımızın en yaygın hastalıkları ile birlikte yaşayanlar ve bu sebeple yediklerine çok dikkat etmek zorunda olan insanlar vardır. Fazla seçenekleri olmadığı için yasaklarla dolu, tatsız, sıkıcı, rutin beslenme alışkanlıkları ile yaşamak zorunda kalırlar. Hayatın bu basit ama aslında en önemli zevklerinden birinin hiç de o kadar basit gelmediği insanlardır onlar...

Benim kızım Bade de onlardan biri. Ve hikâyemiz henüz 3 yaşındayken ona Tip-1 diyabet teşhisi konması ile başlıyor. Kızımın sürekli su içmeye başlaması ve çok sık tuvalete gitmesi, sürekli acıkıp yemek yemek istemesi ama nedense kilo kaybetmesi ile başlayan bir hikâye!

Üç aylık kan şekeri ortalaması, yani HbA1c değerinin normalin iki katı çıkmasından ve kızımın diyabetik ketoasidoz komasının eşiğinde olduğu için acilen hastaneye yatırılmasından birkaç gün sonra, hastane odasında, yüreğimin üzerinde ağır mı ağır bir taşla otururken, annem bana bir kitap getirdi. Çok sevgili ve saygıdeğer merhum Prof. Dr. Ahmet Aydın'ın *Taş Devri Diyeti* kitabı.

İşte o an, benim deyimimle 'aydınlandığım' an oldu.

Kendinizden çok sevdiğiniz, yürekten bağlı olduğunuz birinin bir rahatsızlığı varsa eğer, onun hastalığı sebebiyle acı çekmesini görmekten, hastalığının onun görünümünü, ruh halini, bedenini etkilemesine seyirci kalmaktan daha büyük bir üzüntü olamaz. İşte o en karanlık, en yalnız ve en yorgun anınızda sessizce bir karar verirsiniz. Ya pes eder ve sönüp gidersiniz ya da sevdiğinizin hayatını bir nebze olsun kolaylaştırmak için her şeyi yapabilecek birine dönüşürsünüz. Ben, ikinci yolu seçtim.

Taş Devri Diyeti'ni okuduktan hemen sonra *Karatay Diyeti*'ni okudum. Beslenme şeklimize olan bakışım tamamen değişti. Hepimizin tahıllara, rafine yağlara ve şekere, UHT süt ve ürünlerine, kimyasal, yapay katkı maddesi ve koruyucu dolu her türlü gıdanın bataklığına boğazımıza kadar nasıl da batmış olduğumuzu ve bu tür gıdaları tüketmeye nasıl, adeta mecbur bırakıldığımızı gördüm. Çığ gibi artan hastalık oranlarının gerisinde yatan asıl sebebin yanlış ve yapay beslenme alışkanlığımız olduğuna tüm kalbimle inandım.

Gaps Diyeti, Ketojenik Diyet, Taş Devri Diyeti, Karatay Diyeti... Tüm bu diyetlerin ortak noktası, bağırsak florasının önemine dikkat çekmeleriydi. Tamamı tahılları kısıtlıyor, işlem görmüş gıdaların zararlarından ve modern beslenme şeklinin günümüz hastalıklarına olan bağlantısından bahsediyordu. Tamamı doğal ve gerçek gıdalar ile beslenmenin önemini anlatıyordu.

Peki modern Türk Mutfağı'ndan tahılları, rafine şekeri, işlenmiş gıdaları çıkarttığımızda geriye ne kalıyordu? Çok fazla alternatif olmadığı duygusu, seçeneklerin azlığı ve sıkıcılığı beni çaresiz bırakıyordu. Kızımı yanımda markete götürmeye korkar olmuştum. Parktaki, sokaktaki çocukların ellerinde veya televizyonda birbirinden çekici müzik ve sloganlarla reklamlarda gördüğü gıdalara çok özeniyordu. Doğruyu, sağlıklı seçeneği idrak edecek yaşta değildi.

Oysa kızımın neye ihtiyacı olduğunu görüyordum. Karnı değil, ruhu açtı.

Ruhunun, o çizgi film izlerken ona eşlik edebilecek, anne elinden çıkmış ev yapımı mis gibi bir kurabiyenin dostluğuna ihtiyacı vardı. Ve bu kurabiye kan şekerini roket hızında yükseltmeyecek, çok fazla insülin enjeksiyonu gerektirmeyecek, vücuduna zarar vermeyecek, doğal ve katkısız türden olmalıydı. Ama bu tür tariflerin eksikliği öyle büyüktü ki...

İşte bu büyük eksiklikten yola çıkarak, araştırarak, deneyerek, ilham ve öneri alarak, yardım görerek, bazen feci halde yanılarak kendi tariflerimi oluşturmaya başladım. Asla diğer çocuklar gibi olsun, kendini farklı hissetmesin, o da istediği her şeyi yiyebilsin gibi bir bakış açım olmadı. Gerçek, işlem görmemiş ve sağlıklı gıdaları benimsemesini, sıkıcı bulmamasını ve sevmesini istedim. Aslında herhangi bir hastalığı olmayanların da bizlere dayatılan yiyeceklerin çoğundan uzak durması gerektiğinin bilincine vardım.

Ani bir ilhamla oluşturduğum blogum, **Bade'nin Şekeri**'nde yayınlamaya başladığım tarifler kısa zamanda Çölyak, Diyabet, Haşimoto, Otizm, Kanser gibi birçok hastalıktan muzdarip ve özel beslenmesi gereken insanın; GAPS, Taş Devri, AIP, Karatay, Ketojenik diyetlerini uygulayanların, sağlıklı, gerçek ve düşük glisemik indeksli gıdalarla beslenmek isteyenlerin; alerji ve gıda hassasiyeti olanların, paketli ve işlem görmüş ürünlere alternatif arayanların ilgi ve beğenisini kazandı. Böylece ailem için gerçek gıdalardan yaptığım diğer tüm 'temiz' tarifleri de yayınlamaya başladım.

Tek dileğim bir gün çok istesem de yanında olamadığımda ona bir seçenek bıraktığımı bilmek ve o ilk kurabiyeyi tattığında gözlerinde ışıldayan yıldızların sürekliliğini sağlamaktır.

Bu arada herhangi birinin hayatına en ufak bir faydam oluyorsa, ne mutlu bana...

Sıla Baki Alkan
İstanbul, Eylül 2017

Malzemeler ve Ekipman

Bu kitaptaki tariflerin tamamı alışılagelenin aksine işlem görmemiş, pakete girmemiş, katkısız, evde hazırlanmış doğal gıdalar kullanılarak hazırlanmıştır. Tariflerde, alerjik bünyelere veya diyetinize uygun olmayan malzemeler bulunuyorsa bunlar kolaylıkla değiştirilebilir ve uyarlanabilir. Bu konuda 'Değişim Listesi'nden yararlanabilirsiniz.

Bu kitaptaki tarifler tahıl (arpa, yulaf, darı, buğday, pirinç, mısır, çavdar vb) ve patates gibi yüksek oranda karbonhidrat ve nişasta içeren sebzeler ve dolayısı ile gluten içermemektedir.

Öte yandan tariflerimde rafine şeker ve yapay tatlandırıcılara alternatif olarak kullanılan meyve, kuru meyve, köy pekmezi, hurma suyu, bal gibi doğal tatlandırıcılar çok ölçülü olarak kullanılmaktadır. Bu tür gıdalar, glisemik indeksleri ve içerdikleri karbonhidrat değeri göz önünde bulundurularak (bakınız karbonhidrat değerleri), özellikle diyabetliler tarafından dikkatlice hesaplanarak ve kararında tüketilmelidir. Tariflerde stevia veya aspartam gibi tatlandırıcılar kullanılmamaktadır.

Doğal tatlı tariflerinde kullanılan malzemeler: Doğal çiçek veya çam balı, akçaağaç şurubu, hurma suyu, hurma ve üzüm püresi, kendi şekeri ile yapılan köy pekmezi ve diğer bilimum kuru meyvelerin püreleridir.

Tereyağı ve süt kaymağı: Saf tereyağı ve kaymak kullanılan en belli başlı malzemelerdendir. Ancak bu gıdalara entoleransınız varsa tereyağı yerine keçi tereyağı, saf yağ, hindistancevizi yağı veya zeytinyağını, süt kaymağı yerine hindistancevizi kreması veya çeşitli fındık fıstık ezmeleri kullanılabilir.

Diğer inek sütü ürünleri - yoğurt, süzme yoğurt, peynir çeşitleri: Kazein entoleransı olanlar kitapta tarifi bulunan kuruyemiş sütleri gibi alternatiflerinden yararlanabilirler.

Kakao: Kakao yerine keçiboynuzu tozu kullanılabilir. İşlem görmemiş ham kakao tercih edilmelidir.

Serbest çiftlik hayvanlarına ait et ve yumurta: Özellikle organik beslenen, serbest gezen hayvansal ürünleri kullanılmasına dikkat edilmelidir. Organik yem tüketen, serbest gezen çiftlik hayvanlarının ürünlerine online alışveriş ile ulaşılabilir.

Kaya tuzu: Sağlık açısından işlem görmüş tuz yerine saf kaya tuzu tüketilmelidir.

Vanilya özütü: Vanilya özütü vanilya çubuklarının rom/vodka veya gliserin içerisinde bekletilmesi ile elde edilir. Özüt yerine aktarlardan temin edilebilecek vanilya çubukları kullanılabilir.

Kahve değirmeni: Özellikle çiğ kuruyemişleri un haline getirmek için bu ekipmanın edinilmesi önemlidir.

Blender seti: Sebzeleri püre haline getirmek, fudge kek ve klasik kek hamuru hazırlamak, pürüzsüz dondurma ve kremalar hazırlamak için bu ekipman seti gereklidir. Kapasitesi en güçlü ve kuvvetli bir motora sahip olan setler tercih edilmelidir.

Spiral sebze doğrayıcı: Neredeyse tüm sebzeleri spagetti şeklinde doğramanıza olanak sağlayan bu gereç internet üzerinden sipariş edilebilir.

Pişirme gereçleri, kek/tart kalıpları: Sağlık açısından toksik olmayan ürünler tercih edilmelidir.

Pişirme kâğıdı: İçeriğinde yağ kullanılmayan, kaliteli ve uygun belgelere sahip markaların ürünleri tercih edilmelidir.

Dondurma ve çikolata kalıpları: Mutfak veya pastacılık malzemeleri satan tüm mağazalarda bulunabilir, internet üzerinden sipariş edilebilir.

Sağlıklı Beslenmenin Temel İlkeleri

"Taş devri 5-10 bin yıl önce bitmiştir. O zamandan bu zamana kadar genlerimizde çok az değişiklik olmasına rağmen çevresel şartlar ve özellikle de yiyeceklerimiz çok büyük oranda değişmiştir.

Özellikle son 50-100 yıl içinde doğal olmayan, işlenmiş ve katkı konulmuş gıdalar, margarin gibi kimyasal yolla katılaştırılmış, ayçiçeği, mısır gibi sıcak preslenmiş sıvı yağlar aşırı şekilde kullanılmaya başlanmış; buna karşılık taze sebze, meyve ve tencere yemeklerinin tüketiminde de belirgin bir azalma olmuştur.

Gen yapımız ve buna bağlı vücudumuzda gerçekleşen kimyasal reaksiyonlar doğal olmayan yiyeceklerin tümü ile başa çıkacak yeteneğe sahip değillerdir.

Genler ve yiyecekler arasındaki bu uyumsuzluk hali şişmanlık, diyabet, koroner kalp hastalığı, hipertansiyon, felç, ülser, astım, romatizma, müzmin yorgunluk, kanser ve osteoporoz (kemik erimesi) gibi son yıllarda müthiş artış gösteren çok sayıda müzmin hastalığa neden olmaktadır.

Bu hastalıklardan korunmak istiyorsak aynısı mümkün olmasa da olabildiğince 5-10 bin yıl öncesine benzeyen bir beslenme şekli uygulamalıyız."

Prof. Dr. Ahmet Aydın
Kaynak: www.beslenmebulteni.com

Birinci Bölüm:
TEMEL TARİFLER

Badem Unu

Hazırlık süresi yaklaşık 2 gün

Malzemeler

- 500 gr çiğ badem*
- Üzerini geçecek kadar ılık su (veya fermente badem unu yapmak isterseniz kefir altı suyu/peynir altı suyu)

Yapılışı

1. Bademleri güzelce yıkayıp süzün, büyük boy bir kavanoza koyup üzerini geçecek kadar su (veya peynir/kefir altı suyu) ekleyin. 24 saat bekletip süzün.
2. Bademlerin kabuklarını soyun, geniş bir tepsiye yayıp 1 gün boyunca açık havada veya fırında 50 ºC ısıda 7-8 saat kurutun.**
3. Kuruyan bademleri un gibi incecik olana dek kahve değirmeninden geçirin, kavanoza alıp buzdolabında saklayın.

Notlar

Miktarı size kalmış.
** *Püf noktası bademlerin tamamen kurumuş ve gevrek hale gelmesi. Tamamen kurumazsa nemli ve pütürlü bir un elde edersiniz.*

Hindistancevizi Unu

Hazırlık süresi 15 dakika (ikinci yöntem için)

Malzemeler
- Bütün taze hindistancevizi veya kurutulmuş rende hindistancevizi

Yapılışı
1. İlk yöntem taze hindistancevizi meyvesinden un elde etmektir. Meyvenin kabuğunu kırıp, etli kısmını ayırarak rendelemek, mevsimine göre açık havada veya fırınınızda 70-80 ºC'de birkaç saat ısıtarak kurutmak gerekir. Kurutulan meyve rendesini yine mutfak robotu veya kahve değirmeninde un haline getirebilirsiniz.
2. İkinci yöntem ise hali hazırda kurutulmuş, tatlıları süslemek için kullandığımız toz rende hindistancevizinden dilediğiniz miktarda temin edip yine mutfak robotu/kahve değirmeni yardımı ile un haline gelene dek çekmektir. Elde ettiğiniz unları cam kavanozların içinde, buzdolabında saklamanız tavsiye edilir.

İpucu
Hindistancevizi güçlü bir mutfak robotunda gereğinden fazla çekilirse ısınarak sıvılaşacak ve enfes bir ezmeye/kremaya dönüşecektir. Bu krema kazein duyarlılığı olanlar tarafından tariflerimde sıklıkla kullanılan süt kaymağına alternatiflerden biri olacaktır.

Badem Sütü

Hazırlık süresi 15 dakika

Malzemeler (1 litre için)
- 1 su bardağı (100 gr) çiğ badem
- 1 litre sıcak içme suyu
- Tatlandırmak için 2 çorba kaşığı (20 gr) hurma suyu (isteğe bağlı)
- Bademleri ıslatmak için ekstra içme suyu

Yapılışı
1. Bademlerin üzerine sıcak suyu dökün, bir gece bekletin. Süzün, yıkayın ve bademlerin kabuklarını soyun.
2. Kabukları soyulmuş bademlerin üzerine 1 litre oda sıcaklığında içme suyunu ekleyin, bademler iyice püre olana dek blenderdan geçirin. Hurma suyu ile tatlandırın.
3. Üzerine temiz bir tülbent geçirilmiş süzgeç yardımı ile tüm pütürleri gidermek için en az iki kez süzün. Buzdolabında 1 hafta dayanacaktır.

Önemli not
Kuruyemiş sütleri özellikle süt alerjisi ve laktoz entoleransı olanlar için ideal, besleyici ve çok lezzetli alternatiflerdir. Kan şekerini neredeyse hiç etkilemedikleri gibi sıcak veya soğuk olarak da rahatlıkla tüketilebilirler. Üstelik artan kuruyemiş posalarını kek/kurabiye/kahvaltılık gevrek/ kraker yapımında kullanarak değerlendirebilirsiniz. Kuruyemiş sütleri buzdolabında 1 hafta kadar dayanacaktır.

Badem Sütünden Kefir

Hazırlık süresi 16-18 saat

Malzemeler (0,5 litre için)

- 500 ml katkısız badem sütü (ev yapımı veya %100 katkısız cam şişede hazır ürün olabilir)
- 1 tatlı kaşığı kefir tanesi
- 1 tatlı kaşığı bal/hurma suyu veya akçaağaç şurubu

Yapılışı

1. Badem sütünü oda ısısına getirin, içine balı ekleyip homojen olana dek karıştırın.
2. Karışıma kefir tanelerini ekleyin, oda ısısında, tercihen kalorifer peteğine yakın bir yerde bekletin (oda ısısına göre bekleme süresi uzayıp kısalabilir).

Hindistancevizi Sütü

Hazırlık süresi 15 dakika

Malzemeler (1 litre için)
- 2 su bardağı (160 gr) toz rende hindistancevizi (daha yoğun kıvamlı bir süt için miktarı artırabilirsiniz)
- 1 litre sıcak içme suyu
- Arzu edilirse tatlandırmak için 2 çorba kaşığı (20 gr) hurma suyu

Yapılışı
1. Hindistancevizini derin bir kaba alın, üzerine sıcak suyu ekleyin. Birkaç dakika bekletin.
2. El blenderı ile köpük köpük olana dek, yaklaşık 5-6 dakika yüksek devirde çırpın.
3. Üzerine temiz bir tülbent geçirilmiş süzgeç yardımı ile tüm pütürleri gidermek için en az iki kez süzün. Dilerseniz hurma suyu ile tatlandırın.
4. Buzdolabında 1 hafta kadar dayanacaktır.

Fındık Sütü

Hazırlık süresi 15 dakika

Malzemeler (1 litre için)
- 1 su bardağı (100 gr) çiğ fındık
- 1 litre sıcak içme suyu
- Arzu edilirse tatlandırmak için 2 çorba kaşığı (20 gr) hurma suyu

Yapılışı
1. Fındıkları kısık ateşte, yanmamasına özen göstererek hafifçe ısıtın.
2. Isınan fındıkların kabuklarını soyun. İyice yıkayıp kurulayın.
3. Derin bir kaba alıp üzerine sıcak suyu ekleyin.
4. Blender yardımı ile birkaç dakika boyunca, tüm fındıklar parçalanıp un gibi olana dek çırpın.
5. Üzerine temiz bir tülbent geçirilmiş süzgeç yardımı ile tüm pütürleri gidermek için en az iki kere süzün.
6. Vanilya özütü ve arzuya göre hurma suyu ekleyin. Karıştırın. Buzdolabında 1 hafta dayanacaktır.

Kaju Sütü

Hazırlık süresi 4-5 saat

Malzemeler (1 litre için)
- 2 su bardağı (200 gr) çiğ kaju fıstığı
- 1 litre sıcak içme suyu
- Arzu edilirse tatlandırmak için 2 çorba kaşığı (20 gr) hurma suyu
- Kajuları ıslatmak için ekstra sıcak içme suyu

Yapılışı
1. Kaju fıstıklarını yıkayın, derin bir kaba alıp üzerini geçecek kadar sıcak su ekleyin. En az 4 saat bekletin. Süzün.
2. Üzerine sıcak içme suyunu ekleyin, el blenderı yardımı ile birkaç dakika boyunca, karışım pürüzsüz olana dek parçalayın.
3. Üzerine temiz bir tülbent geçirilmiş süzgeç yardımı ile tüm pütürleri gidermek için en az iki kez süzün.
4. Arzuya göre hurma suyu ekleyip tatlandırın. Buzdolabında 1 hafta dayanacaktır.

Ceviz Sütü

Hazırlık süresi 1 gün

Malzemeler (1 litre için)
- 2 su bardağı (200 gr) ceviz içi
- 1 litre sıcak içme suyu
- Arzu edilirse tatlandırmak için 2 çorba kaşığı (20 gr) hurma suyu
- Cevizleri ıslatmak için ekstra sıcak içme suyu

Yapılışı
1. Cevizleri yıkayın, derin bir kaba alıp üzerini geçecek kadar sıcak içme suyu ekleyin. En az 24 saat bekletin. Süzün.
2. Cevizlerin üzerine 1 litre sıcak içme suyu ekleyin, el blenderı yardımı ile birkaç dakika boyunca, karışım pürüzsüz olana dek parçalayın.
3. Üzerine temiz bir tülbent geçirilmiş süzgeç yardımı ile tüm pütürleri gidermek için en az iki kez süzün.
4. Arzuya göre hurma suyu ekleyip tatlandırın. Buzdolabında 1 hafta dayanacaktır.

Hurma Suyu / Püresi

Malzemeler (2,5 su bardağı hurma püresi+2,5 su bardağı hurma suyu için)
- Yarım kg hurma (Medine mebrum veya sukkari cinsi)
- 1 litre sıcak içme suyu
- Islatmak için 1 litre ılık içme suyu

Yapılışı
1. Hurmaları yıkayın, geniş bir kaba yerleştirin, üzerini kaplayacak kadar ılık su ekleyip 1 saat bekletin.
2. Hurmalar iyice yumuşadığında suyu süzün, kabuk ve çekirdeklerini çıkarıp üzerine bu sefer sıcak suyu ekleyin.
3. Blender ile karışımı pürüzsüz kıvama getirin.
4. Üzerine temiz bir tülbent geçirilmiş süzgeç yardımı ile iyice süzün.
5. Elde ettiğiniz şerbet ile püreyi cam şişe veya kavanozlarda, buzdolabında saklayın. İki hafta kadar dayanacaktır.

Antepfıstığı Sütü

Hazırlık süresi 15 dakika

Malzemeler (1 litre için)
- 1 su bardağı (100 gr) çiğ iç antepfıstığı (boz fıstık cinsi soyulmuş bütün antepfıstığı, baklavacılardan satın alabilirsiniz)
- 1 litre sıcak içme suyu
- Arzu edilirse tatlandırmak için 2 çorba kaşığı (20 gr) hurma suyu

Yapılışı
1. Antepfıstıklarını yıkayın, derin bir kaba alıp üzerine 1 litre sıcak içme suyu ekleyin.
2. El blenderı yardımı ile birkaç dakika boyunca, karışım pürüzsüz olana dek parçalayın.
3. Üzerine temiz bir tülbent geçirilmiş süzgeç yardımı ile tüm pütürleri gidermek için en az iki kez süzün.
4. Arzuya göre hurma suyu ekleyip tatlandırın. Buzdolabında 1 hafta dayanacaktır.

İpucu

Antepfıstığı sütü ile hem sağlıklı hem de lezzetli çikolatalı içecekler yapabilirsiniz.

Kuru Üzüm Püresi

Hazırlık süresi 35 dakika

Malzemeler (1 orta boy kavanoz için)
- 200 gr çekirdeksiz kuru üzüm
- Üzerini geçecek kadar sıcak içme suyu

Yapılışı
1. Kuru üzümleri geniş bir kaba alın, üzerini geçecek kadar sıcak içme suyu ekleyin. 30 dakika kadar bekletin.
2. Kuru üzümleri süzün, mutfak robotunu veya blender yardımı ile püre kıvamını alana dek parçalayın. İşlemi kolaylaştırmak için bir miktar sıcak su ekleyebilirsiniz.
3. Püreyi cam bir kavanoza aktarın, buzdolabında saklayın.

Ev Yapımı Sağlıklı Nutella

Hazırlık süresi 30 dakika

Malzemeler (1 orta boy kavanoz için)
- 20 adet hurma (150-160 gr)
- 100 ml (yarım su bardağı) sıcak su
- 3 çorba kaşığı taze süt kaymağı veya hindistancevizi kreması
- 60 gr (3/5 su bardağı) çiğ iç fındık
- 20 gr (1/5 su bardağı) ceviz içi
- 3 çorba kaşığı kakao
- 1 çimdik kaya tuzu

Yapılışı
1. Fındıkları yağsız bir tavada, kısık ateşte birkaç dakika boyunca karıştırarak soteleyin ve kabuklarının iyice ayrılmasını sağlayın. Yakmamaya dikkat edin. Fındıklar hâlâ ılıkken temiz bir mutfak havlusunun üzerine koyup ağzını bağlayarak kapatın. Ellerinizle havluyu ovuşturarak kalan tüm kabuklarının soyulmasını sağlayın. Mutfak robotuna yerleştirin.
2. Hurmaları 15 dakika ılık suda bekletin, çekirdeklerini çıkarıp mutfak robotunuza yerleştirin.
3. Diğer tüm malzemeleri de mutfak robotunuza yerleştirin, en yüksek devirde pürüzsüz bir kıvam alana dek parçalayın. Tüm pütürleri gidermek ve daha kremamsı bir kıvama ulaşmak için gerekirse bir kere de tel süzgeçten geçirin.
4. Buzdolabında cam kavanozda saklayın. Bir hafta içinde tüketin.

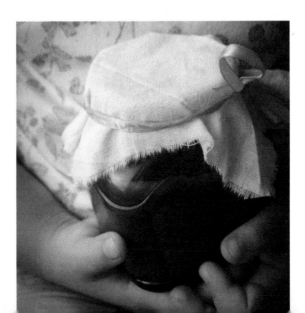

Fıstık Ezmesi / Kreması

Hazırlık süresi 10 dakika

Malzemeler (1 küçük boy kavanoz için)
- 200 gr (4 su bardağı) hafifçe kavrulmuş yer fıstığı veya 4 saat ılık suda bekletilmiş çiğ kaju fıstığı ya da badem
- 2 çorba kaşığı (40 gr) bal veya 4 çorba kaşığı (40 gr) hurma suyu
- 1 çorba kaşığı (5 gr) eritilmiş tereyağı veya hindistancevizi yağı
- 1/3 su bardağı (65 ml) ılık içme suyu veya herhangi bir kuruyemiş sütü

Yapılışı
1. Fıstıkları mutfak robotunuzun haznesine yerleştirin. Diğer malzemeleri de sırası ile ekleyin.
2. En yüksek devirde 3-4 dakika çalıştırın, karışımı pürüzsüz hale getirin.
3. Cam bir kavanozda, buzdolabında saklayın. İki hafta dayanacaktır.

İpucu

Fıstık kreması lezzetli ve besleyici bir kahvaltılık seçeneği olmakla birlikte tatlılarda, parfelerde kullanılabilir. Pasta kreması olarak da çok lezzetli bir seçenek olacaktır.

Kolay Mayasız Peynir

Hazırlık süresi 6-7 saat

Malzemeler (4 porsiyon için)

- 1 kg çiğ inek / manda / koyun veya keçi sütü
- 1 çorba kaşığı elma sirkesi veya yarım limonun suyu
- 2/3 su bardağı (120-130 gr) ev yapımı inek / manda / koyun / keçi sütü yoğurdu
- Yarım tatlı kaşığı kaya tuzu

Yapılışı

1. Sütü orta ateşte 20 dakika kadar kaynatın.
2. Süt kaynadığında sirke, tuz ve yoğurdu sırası ile ekleyin.
3. Yaklaşık 3-4 dakika karıştırmaya devam edin, süt kesilip yeşilimsi renkte peynir altı suyu ayrışınca karıştırmayı bırakın. Tencereyi ateşten alın. Ilınmasını bekleyin.
4. Geniş bir süzgecin üzerine geçireceğiniz temiz bir tülbent yardımıyla peyniri süzün.
5. Tülbendi top yapıp içindeki peynirin fazla suyunu elinizle iyice sıkın.
6. Artan peynir altı suyunu dökmeyin, saklayın.
7. Tülbendi sımsıkı sarıp bağlayın, üzerine kalan suyunu atması için ağırlık koyun.
8. 5-6 saat kadar tüm suyun süzülmesini bekleyin.
9. Tülbendin içindeki peyniri çıkarın, dilediğiniz gibi dilimleyin, peynir altı suyu dolu bir kavanoza koyup buzdolabında saklayın.

İpucu

Bu peynir, klasik peynirden daha farklı olsa da yapımı oldukça pratik olduğu için evde yapılabilecek en kolay peynirlerden biri. Aşağıda tarifi verilen tüm peynirleri taze fesleğen, biberiye, kekik, dereotu, sarımsak, biber, ceviz ile çeşnilendirebilirsiniz.

Kolay Tulum Peyniri

Hazırlık süresi 9-10 saat

Malzemeler (4 porsiyon için)
- 1 kg çiğ inek / manda / koyun veya keçi sütü
- 1 çorba kaşığı elma sirkesi veya yarım limonun suyu
- 2/3 su bardağı (120-130 gr) ev yapımı inek / manda / koyun / keçi sütü yoğurdu
- 1 tatlı kaşığı kaya tuzu
- İlave yarım tatlı kaşığı kaya tuzu

Yapılışı
1. Sütü orta ateşte 20 dakika kaynatın.
2. Süt kaynadığında sirke, tuz ve yoğurdu sırası ile ekleyin.
3. Yaklaşık 3-4 dakika karıştırmaya devam edin, süt kesilip yeşilimsi renkte peynir altı suyu ayrışınca karıştırmayı bırakın. Tencereyi ateşten alın. Ilınmasını bekleyin.
4. Geniş bir süzgecin üzerine geçireceğiniz temiz bir tülbent yardımıyla peyniri süzün.
5. Tülbendi top yapıp içindeki peynirin fazla suyunu elinizle iyice sıkın.
6. Tülbendi sımsıkı sarıp bağlayın, üzerine kalan suyunu atması için ağırlık koyun.
7. 5-6 altı saat kadar tüm suyun süzülmesini bekleyin.
8. Tülbendin içindeki peyniri çıkarın, dilimleyin.
9. Dilimleri mutfak robotunuzda incecik kıyın veya rendeleyin.
10. İçine yarım tatlı kaşığı kadar tuz ekleyip (zevkinize göre azaltıp çoğaltabilirsiniz) iyice yoğurun.
11. Derin bir kaba sımsıkı bastırarak yayın, üzerini kapatıp buzdolabında en az 3 saat bekletin. Dilimleyip servis edin.

Krem Peynir

Hazırlık süresi 30 dakika

Malzemeler (1 orta boy kavanoz için)
- 2 litre çiğ inek / manda / koyun / keçi sütü
- 1 çorba kaşığı ev yapımı elma sirkesi veya yarım limonun suyu
- 1,5 su bardağı (270-300 gr) ev yapımı inek / manda / koyun / keçi sütü yoğurdu
- 1 tatlı kaşığı kaya tuzu (isteğe bağlı)
- 1 çorba kaşığı (5 gr) eritilmiş tereyağı
- Yarım su bardağı (90-100 gr) ev yapımı inek / manda / koyun /keçi sütü yoğurdu (kıvam vermek için)

Yapılışı
1. Sütü 20 dakika kaynatın.
2. Süt kaynadığında sirke, tuz ve yoğurdu sırası ile ekleyin.
3. 3-4 dakika, süt kesilip yeşilimsi renkte peynir altı suyu ayrışana dek karıştırın.
4. Peynir altı suyu ayrıştığında tencereyi ateşten alın. Ilınmasını bekleyin.
5. Temiz bir tülbent yardımıyla süzün.
6. Tülbendi top yapıp peyniri hafif sulu ve yumuşak bırakın.
7. Sulu peyniri mutfak robotunuza yerleştirin, tereyağı, yogurt, dilerseniz tuz ve arzu ettiğiniz çeşniyi ekleyin.
8. Pürüzsüz bir kıvama gelene kadar mutfak robotunuzdan geçirin.
9. Buzdolabında saklayın.

İpucu
Bu peyniri dereotu ve sarımsak ile çeşnilendirmeyi deneyebilirsiniz.

Kefir Peyniri

Hazırlık süresi 72 saat

Malzemeler (500 gr kefir peyniri için)
- 1 litre çiğ süt
- 1 çay kaşığı kefir tanesi
- 1 tatlı kaşığı kaya tuzu (isteğe bağlı)

Yapılışı

1. Sütünüzü kaynatın, daha sonra oda ısısına gelene dek bekleyin.
2. Sütü cam bir kavanoza doldurun ve kavanozun üzerinde en az 3-4 parmak kadar boşluk olmasına özen gösterin.
3. Sütün içine kefir tanelerini ekleyip 24-36 saat bekletin. Yoğurt kıvamında bir kefir elde edeceksiniz.
4. Karışımı bir süzgeçten geçirin, kefir tanelerini ayırın ve tekrar kullanmak üzere buzdolabına kaldırın.
5. Kefiri sıkı dikişleri olan temiz bir tülbentten, buzdolabınızda yüksek bir yere asarak tekrar süzdürün.
6. Kefiriniz artık su süzdürmemeye başladığında sımsıkı sarın, üzerine ağırlık koyun, 3-4 saat daha bekletin. Böylece kefirinizin tüm suyu süzülecek ve peyniriniz katılaşacaktır.
7. Dilediğiniz çeşni ve tuz ekleyip dilediğiniz şekli verdikten sonra buzdolabında veya oda ısısında, zeytinyağı dolu bir kavanozda saklayınız.

İpucu

Kefir peynirinizi tattığınızda klasik peynirden farklı olarak hafif ekşi bir aroma hissedeceksiniz. Peynirinize bir parça fesleğen, kırmızıbiber, kekik, dereotu gibi ot ve baharatlar ekleyerek bu tadı geliştirebilirsiniz. Süzülen kefir altı suyunu çorba, yemek ve içeceklere katarak veya baklagilleri fermente etme amaçlı değerlendirebilirsiniz.

Süt Kaymağı & Süt Kreması

Hazırlık süresi 30 dakika

Malzemeler
- 5 litre çiğ inek / keçi / manda sütü

Süt kaymağı yapılışı
1. Çiğ sütünüzü 30 dakika kaynatın. Soğutun.
2. Soğuduktan sonra bir 30 dakika daha kaynatın. Tekrar soğutun.
3. Kapağını kapatıp buzdolabında/serin bir yerde bir gece bekletin.
4. Sabah üzeri kaskatı kaymakla kaplanmış sütünüzün üzerindeki kaymak tabakasını bir kaşık süzgeç yardımı ile dikkatlice alın, afiyetle tüketin.

Süt kreması yapılışı
1. Oda ısısındaki süt kaymağını mikserinizle yüksek devirde, katılaşıp tereyağına dönüşmesine fırsat vermeden 1-2 dakika kadar çırpın. Kıvam vermek için bir miktar süt eklenebilir.
2. Yumuşayıp krema kıvamını aldığında çırpmayı bırakın. Kullanıma hazırdır.

İpucu
Süt cinsine göre elde edeceğiniz kaymak miktarı değişecektir, en çok kaymak manda sütünden elde edilir.

Bitter Çikolata Sosu

Hazırlık süresi 10 dakika

Malzemeler (1 porsiyon için)
- 3 çorba kaşığı (30 gr) katı tereyağı veya hindistancevizi yağı
- 3 çorba kaşığı (24 gr) kakao
- 3 çorba kaşığı sıcak su
- Yarım su bardağı (100 ml)süt/kuruyemiş sütü
- 2 çorba kaşığı (20 gr) veya daha fazla hurma suyu

Yapılışı
1. Tereyağını çok kısık ateşte eritin, kakaoyu ekleyip çırpma teli ile iyice çırpın.
2. Pürüzsüz hale geldiğinde sütü ve suyu ekleyip çırpmaya devam edin. Ateşten alın, hurma suyunu ekleyin, pürüzsüz kıvama gelene dek tekrar çırpın. Servis edin.

İpucu
Bu doğal bitter çikolata sosunu meyve ile birlikte tüketebilir, tatlılarda kullanabilirsiniz.

Sütlü Çikolata Sosu

Hazırlık süresi 10 dakika

Malzemeler (1 porsiyon için)
- 2/3 su bardağı (65 ml) süt/kuruyemiş sütü
- 1 çorba kaşığı (8 gr) kakao
- 1 tepeleme çorba kaşığı (15 gr) katı tereyağı veya hindistancevizi yağı
- 4 çorba kaşığı (40 gr) hurma suyu veya dilediğiniz başka bir doğal tatlandırıcı
- 5 çorba kaşığı içme suyu
- 2 damla vanilya özütü (isteğe bağlı)

Yapılışı
1. Çok kısık ateşte tereyağını eritin. İçine kakao ve içme suyunu ekleyin. Sürekli çırparak pürüzsüz kıvama getirin.
2. Ateşten alın, içine hurma suyunu, vanilyayı ve kremayı ekleyip 1 dakika kadar daha, pürüzsüz kıvam alana dek çırpmaya devam edin. Servis edin.

Vanilyalı Krema

Hazırlık süresi 10 dakika

Malzemeler (2 su bardağı krema için)
- 1 su bardağı (200 gr) ev yapımı süt kaymağı
- 1 su bardağı (200 gr) çok yumuşak tuzsuz tam yağlı peynir
- 1 çay kaşığı vanilya özütü
- 2 çorba kaşığı (40 gr) bal veya pekmez

Yapılışı
1. Kaymak ve krem peyniri buzdolabından çıkarın, oda sıcaklığına gelene dek yarım saat bekletin.
2. Hepsini derin bir kaba alın, bal ve vanilya özütünü ekleyin, mikserde yüksek devirde pürüzsüz kıvama gelene dek çırpın.

İpucu
Süt kaymağı ve peynir yerine çiğ kaju fıstığı kullanabilirler. Tek yapmanız gereken kaju fıstıklarını en az 4 saat suda bekletip bal ve vanilya ile birlikte krema kıvamına gelene dek çekmek.

Karamel Sos

Hazırlık süresi 10 dakika

Malzemeler (1 porsiyon için)
- 3 çorba kaşığı (30 gr) ev yapımı süt kreması
- 1,5 çorba kaşığı (30 gr) üzüm pekmezi

Yapılışı
1. Kremayı çukur bir kâseye aktarın ve oda ısısına getirin, üzerine pekmezi ekleyin.
2. Karamel rengini alana dek çırpma teli ile çırpın. Hemen kullanabilirsiniz.

Unsuz Beşamel Sos

Hazırlık süresi 10 dakika

Malzemeler (1 porsiyon için)
- 3/4 su bardağı (60 gr) un gibi çekilmiş çiğ kaju fıstığı
- Yarım su bardağı süt veya badem/kaju sütü
- 2 çorba kaşığı (20 gr) katı tereyağı
- Yarım çay kaşığı kaya tuzu
- Yarım çay kaşığı toz sarımsak (isteğe bağlı)

Yapılışı
1. Tereyağını kısık ateşte eritin. İçine kaju fıstığını ekleyin ve yakmadan, hafifçe kokusu çıkana dek karıştırarak pişirin.
2. Süt, tuz ve sarımsağı ekleyin. Sütü çekip koyulaşana dek çırpma teli ile karıştırın. Ateşten alıp servis edebilirsiniz. Daha ince bir sos elde etmek için biraz daha süt eklemeniz gerekebilir.

İpucu
Bu sosu İkinci Bölüm'deki unsuz lazanya tarifimde deneyin!

*"Un ve şekerden fakir, sebze, meyve, et ve yumurta gibi doğal gıdalardan
zengin bir diyet bağırsak florasının koruyuculuğunu bozmaz.
Yağ kısıtlaması vücut için zararlıdır. Mükemmel bir gıda olan anne sütünün
kalorisinin %50'sinden fazlası yağlardan gelir.
Bu yağların büyük bölümünü doymuş yağlar ve kolesterol oluşturur.
Sanılanın aksine yağı az, dolayısıyla şekeri fazla yiyecekler
insanları daha çok acıktırır ve daha çok şişmanlatır."*

Prof. Dr. Ahmet Aydın

İkinci Bölüm:
GLUTENSİZ HAMUR İŞLERİ KAHVALTILIKLAR YEMEKLER

Glutensiz Ekmek

Hazırlık süresi 75 dakika

Malzemeler (1 adet orta boy baton ekmek için)
- 4 orta boy yumurta
- 1 su bardağı (100 gr) badem unu
- 3/4 su bardağı (60 gr) ev yapımı hindistancevizi unu
- Yarım çay kaşığı karbonat
- 1 çay kaşığı kaya tuzu
- 1 çorba kaşığı elma sirkesi

Yapılışı
1. Yumurtaları tuz, sirke ve karbonat ile yüksek devirde 2 dakika çırpın.
2. Yumurtaların üzerine badem unu ve hindistancevizini ekleyin, 4-5 dakika daha yüksek devirde çırpmaya devam edin. Hafif sulu boza kıvamında bir hamur elde edeceksiniz.
3. Karışımı pişirme kâğıdı ile kaplanmış veya zeytinyağı ile yağlanmış baton ekmek kalıbına dökün, önceden ısıtılmış 160 °C fırında 1 saat pişirin. Soğutun, dilimleyin.

İpucu
Bu ekmeği çeşnilendirmek için mahlep, toz sarımsak, çörekotu, ay çekirdeği, kabak çekirdeği ve keten tohumu kullanabilirsiniz. Ayrıca biraz elma sosu, hurma suyu ve tarçın ekleyerek hafif tatlı bir kek elde edebilirsiniz.

Keten Tohumu Unu İle Ekmek

Hazırlık süresi 50 dakika

Malzemeler (1 adet küçük boy yuvarlak ekmek için)
- 1 orta boy yumurta
- 2 çorba kaşığı (10 gr) un gibi çekilmiş keten tohumu
- 4 çorba kaşığı (20 gr) tam yağlı İzmir tulum veya Ezine peyniri rendesi
- 1 tatlı kaşığı elma veya üzüm sirkesi
- Yarım çay kaşığı karbonat
- 1 çorba kaşığı zeytinyağı

Yapılışı
1. Fırını 160 ºC'ye ayarlayın. Yumurtaları tuz, zeytinyağı, sirke ve karbonat ile yüksek devirde 2 dakika çırpın.
2. Diğer tüm malzemeleri ekleyin ve 2 dakika daha yüksek devirde çırpmaya devam edin.
3. Karışımı daire şeklinde ve yağlanmış bir kalıpta, yaklaşık 40 dakika pişirin. Soğutun, dilimleyin.

İpucu
Bu ekmeği sağlıklı sandviç ve hamburgerler yapmak için kullanabilirsiniz.

Baharatlı Ekmek

Hazırlık süresi 75 dakika

Malzemeler (1 adet orta boy baton ekmek için)
- 5 orta boy yumurta
- 1 su bardağı (100 gr) çiğ kaju fıstığı
- 1 su bardağı (100 gr) badem unu
- Yarım su bardağı (50 gr) çekilmiş keten tohumu
- 2 çorba kaşığı (20 gr) hurma suyu
- 1 çorba kaşığı üzüm sirkesi
- 1 çay kaşığı karbonat
- 2 çay kaşığı tarçın
- 2 çay kaşığı zencefil
- 2 çay kaşığı mahlep
- 1 çorba kaşığı portakal kabuğu rendesi
- 1 tatlı kaşığı mavi haşhaş tohumu (üzeri için)

Yapılışı
1. Fırını 170 °C'ye ayarlayın. Kaju fıstığını mutfak robotu veya kahve değirmeninde un gibi olana dek çekin. Badem unu ve keten tohumu ile birlikte geniş bir kaba aktarıp üzerine karbonat, portakal kabuğu rendesi ve baharatları ekleyin. Karıştırın.
2. Ayrı bir kapta yumurtaları köpük köpük olana dek çırpın. İçine üzüm sirkesi ve hurma suyu ekleyip homojen olana dek çırpmaya devam edin.
3. Bademli karışımı yumurtalı karışıma ekleyin. Birbirine iyice nüfuz edene kadar karıştırın.
4. 20x10 cm ebatlarında pişirme kâğıdı ile kaplanmış baton şeklinde cam kalıpta 45 dakika kapağını açmadan pişirin. Fırından çıkarıp en az iki saat soğutun, dilimleyip servis edin.

Ketojenik (Fathead) Ekmek

Hazırlık süresi 30 dakika

Malzemeler (1 büyük boy ekmek veya 4 adet orta boy sandviç ekmeği için)

- 1,5 su bardağı (150 gr) rendelenmiş dil veya mozzarella peyniri
- 1 orta boy yumurta
- 1 su bardağı (80 gr) badem unu
- 2 çorba kaşığı (10 gr) eritilmiş tereyağı
- 1 tatlı kaşığı elma veya üzüm sirkesi
- Yarım çay kaşığı karbonat

Yapılışı

1. Badem ununuzu geniş bir kaba alın, üzerine 1 yumurta, sirke ve karbonatı ekleyin.
2. Tereyağını çok kısık ateşte eritin, üzerine rende peyniri ekleyin ve peynir iyice akışkan olana ve fokurdamaya başlayana dek karıştırarak eritin.
3. Tereyağında eritilmiş peyniri bademli karışımın üzerine ekleyin. Tahta bir kaşığı ıslatın ve bu kaşık yardımı ile karışımı hızla karıştırarak güzelce birbirine yedirin. Ele hafif yapışan bir hamur elde edeceksiniz.
4. Bu hamura ister somun şekli verip pişirme kâğıdı serilmiş bir tepsinin üzerin yerleştirin, ister muffin kâğıdı kaplanmış mini muffin kalıplarına paylaştırın ve minik sandviç ekmekleri elde edin. Ellerinizi ıslatmak hamura daha kolay şekil vermenizi sağlayacaktır.
5. Önceden ısıtılmış 150 °C fırında 20 dakika pişirin.

İpucu

Bu ekmeğin püf noktası ekmeğinizin fırında gereğinden fazla kalmamasına dikkat etmektir, aksi halde yumuşak değil kıtır kıtır bir ekmek elde edersiniz. Bu ekmeğin hamurunun özelliği ise piştiğinde boyutunun tam iki katına çıkmasıdır. Porsiyon boyutlarını ve hamura vereceğiniz şekli ona göre ayarlayabilirsiniz. Peyniriniz fazla yağlı ise aman dikkat, hamur kabarmak yerine tepsiye yayılacaktır. Peynir çeşidinizi değiştirmek sorunu çözecektir.

Mercimekli Lavaş Ekmeği

Hazırlık süresi 19 saat

Malzemeler (4-5 adet orta boy ekmek için)
- 1 su bardağı organik yerli mahsul sarı mercimek
- 1 küçük çay bardağı su (80 ml)*
- Tuz
- Yarım çay kaşığı toz sarımsak
- 1 tutam zerdeçal
- 1 tutam karabiber
- Dilediğiniz baharat
- Pişirmek için zeytinyağı

Yapılışı
1. Mercimekleri 18 saat çok az karbonat eklenmiş sıcak suda bekletin (suyu eklerken kıvama çok dikkat edin, hamur sulu olursa lavaş yapışıp dağılacaktır), daha sonra bolca yıkayıp süzün. Gaps diyeti yapıyorsanız fermente edilmiş mercimek kullanınız.
2. Mutfak robotunuzda diğer malzemelerle birlikte hafif sulu bir patates püresi kıvamını alana dek çekin (evet, mercimeği çiğden çekiyoruz).
3. Tavanızı kızdırıp zeytinyağı ile yağlayın ve tavanın ortasına hamurdan küçük bir kepçe dökün. Bir spatula yardımı ile incecik olana dek tavaya dağıtın. Bir dakika kadar orta ısıda pişirip dikkatlice çevirin. Diğer tarafını da pişirdikten sonra lavaş ekmeğinizi servis edebilirsiniz.

İpucu
Minik pankekler halinde de pişirebilir, sandviç ve hamburger ekmeği, hatta börek yufkası olarak bile kullanabilirsiniz. Kebap ile servis edebilir, dürüm olarak da kullanabilirsiniz.

Pastırmalı Yumurtalı Pide

Hazırlık süresi 30 dakika

Malzemeler (1 büyük boy pide için)

- 1 orta boy yumurta
- 2 su bardağı (200 gr) rendelenmiş dil veya mozzarella peyniri
- 2 çorba kaşığı (10 gr) un gibi çekilmiş keten tohumu
- 2 çorba kaşığı (10 gr) erimiş tereyağı
- 1 su bardağı (80 gr) badem unu veya un gibi çekilmiş kaju fıstığı
- 1 tatlı kaşığı elma veya üzüm sirkesi
- Yarım çay kaşığı karbonat
- 5-6 dilim pastırma ve 1 yumurta (üzeri için)

Yapılışı

1. Fırınınızı 150 °C'ye ayarlayın.
2. Bademleri ve keten tohumunu geniş bir kaba alın ve üzerine 1 yumurta, sirke ve karbonatı ekleyin.
3. Tereyağını çok kısık ateşte eritin, üzerine rende peyniri ekleyin ve peynir iyice akışkan olana ve fokurdayana dek karıştırarak eritin.
4. Tereyağında iyice eritilmiş peyniri bademli keten tohumlu karışımın üzerine ekleyin. Tahta bir kaşığı ıslatın ve bu kaşık yardımı ile karışımı hızla karıştırarak güzelce birbirine yedirin. Hafif sert bir hamur elde edeceksiniz.
5. Ellerinizi yapışmaması için ıslatın, pişirme kâğıdının üzerinde hamuru 1 cm kalınlığında, 10 cm çapında bastırarak açın.
6. Ortasına pastırmaları yerleştirin, kenarlarını bükerek pide şeklini verin.
7. Pideyi pişirme kâğıdı serilmiş fırın tepsisine yerleştirin, pastırmaların üzerine 1 yumurta kırın. Önceden ısıtılmış 150 °C fırında 15-20 dakika pişirin.

İpucu

Kolayca şekil alan bu hamuru küçük parçalara ayırıp her birini daire şeklinde açarak fındık lahmacunlar yapabilirsiniz.

Ev yapımı pastırma tercih ediniz. Fabrikasyon pastırmalar, çemeninde kullanılan buğday unundan dolayı glüten içermektedir.

Kırmızı Mercimek Ekmeği

Hazırlık süresi 80 dakika

Malzemeler (1 büyük boy somun ekmek için)
- 2 su bardağı (320 gr) kırmızı mercimek
- 2 orta boy yumurta
- 1 orta boy kuru soğan (70 gr)
- 2 sap pırasa (veya taze soğan)
- 3 diş sarımsak
- 4 çorba kaşığı zeytinyağı
- Yarım çay kaşığı zerdeçal
- Yarım çay kaşığı karabiber
- 1 tatlı kaşığı kaya tuzu
- 1 tutam çörekotu (üzeri için)

Yapılışı
1. Fırını 190 ºC'ye ayarlayın.
2. Mercimekleri bol suda yıkayıp haşlayın, mercimekler çok iyi haşlanmalı ve püre haline gelmeli. Tüm suyunu iyice süzün. Aksi halde ekmek dağılır.
3. Soğan ve sarımsağı ince ince kıyın, zeytinyağında soteleyin.
4. Pırasa saplarını yıkayın, ince ince kıyın.
5. Yumurtaları çırpın.
6. Geniş bir kapta tüm malzemeleri birbirine harmanlayın. Pişirme kâğıdı serilmiş 9x20 cm ebatlarında baton kalıba dökün. Aksi halde yapışacaktır. Üzerine çörekotu serpin. Üzeri kızarana ve sertleşene kadar 50 dakika pişirin. İyice soğutun. Dilimleyip servis edin.

Glutensiz Pizza

Hazırlık süresi 40 dakika

Malzemeler (1 büyük pizza için)

Pizza tabanı için

- 2 orta boy yumurta
- 4 çorba kaşığı (80 gr) ev yapımı krem peynir veya çok yumuşak tam yağlı peynir
- Yarım su bardağı (60 gr) rendelenmiş eski kaşar veya parmesan peyniri
- 1 diş sarımsak (rendelenmiş)

Üzeri için

- 5 çorba kaşığı (30 gr) ev yapımı ketçap
- 1 su bardağı (100 gr) rende dil veya mozzarella peyniri
- 5 adet orta boy mantar
- 10 adet zeytin
- 100 gr donuk küp şeklinde kesilmiş kıyma
- 1 çay kaşığı kekik

Yapılışı

1. Fırını 170 °C'ye ayarlayın.
2. Yumurtaları ve krem peyniri mikser ile yüksek devirde 2 dakika çırpın, eski kaşar ve sarımsak rendesini de ekleyip 1 dakika daha çırpmaya devam edin.
3. Hamuru tabanı yağlanmış 18x18cm daire şeklinde bir kalıba dökün. Üzeri hafif altın rengini alana dek pişirin. Fırından alıp 15 dakika kadar soğutun.
4. Soğuyan tabana ev yapımı ketçabı yayın, üzerini peynir, mantar, küp şeklinde kesilmiş kıyma ve zeytinle süsleyin, kekik serpin ve tekrar fırına verin.
5. Üzerindeki peynir eriyip altın rengini alınca çıkarın, dilimleyin ve sıcak servis edin.

İpucu

Bu pizza tabanını yufka niyetine kullanarak tepsi böreği yapabilirsiniz.

Dört Peynirli Lazanya

Hazırlık süresi 60 dakika

Malzemeler (4 porsiyon için)

Hamuru için

- 3 orta boy yumurta
- 2/3 su bardağı (80 gr) tam yağlı yumuşak beyaz peynir (inek, koyun veya keçi sütünden olabilir)
- 1 diş sarımsak
- Yarım çay kaşığı kaya tuzu
- 2 çorba kaşığı (10 gr) parmesan veya eski kaşar peyniri rendesi

Arası için

- 150 gr dana kıyma
- 4 çorba kaşığı zeytinyağı
- 6 çorba kaşığı su
- 1 diş sarımsak
- Yarım çay kaşığı kaya tuzu
- 2 çorba kaşığı domates salçası
- 4 çorba kaşığı (20 gr) cheddar peyniri rendesi
- 3 çorba kaşığı dil (15 gr)peyniri rendesi

Üzeri için

- 2 çorba kaşığı (10 gr) cheddar peyniri rendesi
- 2 çorba kaşığı (10 gr) dil peyniri rendesi

Yapılışı

1. Fırını 180 °C'ye getirin.
2. Yumurtayı ve tuzu derin bir kapta mikser veya çırpma teli ile köpük köpük olana dek çırpın. Beyaz peyniri çatalla ezin, eski kaşar ve sarımsağı rendeleyin.
3. Ezilmiş beyaz peynir, sarımsak ve eski kaşar peynirini yumurtalı karışımın üzerine ekleyin. El blenderı yardımı ile karışımı mümkün olduğunca pürüzsüz kıvama gelene dek parçalayın. Karışımı 18x30 cm ebatlarında pişirme kâğıdı serilmiş dikdörtgen şeklinde bir fırın kabına dökün. Bu ölçülerde bir kap kullanmak şarttır.
4. Üzeri altın rengini alana dek, yaklaşık 15 dakika pişirin. Çıkarın ve soğumaya bırakın. Soğuduktan sonra dikdörtgen hamuru enlemesine, dört eşit dikdörtgen şeklinde kesin.
5. Fırını 150 °C'ye getirin.
6. Zeytinyağı, kıyma, su, tuz, salça ve sarımsak rendesini kısık ateşte hafifçe soteleyerek iç harcını hazırlayın.
7. 9x18 cm ebatlarında baton bir kalıbın dibine ilk hamur parçasını serin. Üzerine kıymalı sosun 1/3'ünü yayın. Onun üzerine iki çorba kaşığı cheddar peyniri ve 1 çorba kaşığı dil peynirini ekleyin.
8. Aynı işlemi diğer katlara da tekrarlayın.
9. Lazanyanın en üst katına ise sadece iki çorba kaşığı dil peyniri ve iki çorba kaşığı cheddar peyniri koyun. Yaklaşık 15 dakika daha, üzeri altın rengini alana dek pişirin. Dilimleyip sıcak servis edin.

Sarımsaklı Ekmek

Hazırlık süresi 35 dakika

Malzemeler (4 porsiyon için)

Hamuru için

- 1 orta boy yumurta
- 1 su bardağı (80 gr) badem unu
- 3/4 su bardağı (90 gr) rende tam yağlı İzmir tulum veya Ezine peyniri
- 1 tatlı kaşığı üzüm sirkesi
- Yarım çay kaşığı karbonat

Üzeri için

- 1 diş sarımsak
- 2 çorba kaşığı zeytinyağı
- 4-5 çorba kaşığı rende dil veya mozzarella peyniri
- Servis için kekik

Yapılışı

1. Fırını 150 °C dereceye ayarlayın.
2. Badem ununu geniş bir kaba alın ve üzerine 1 yumurta, sirke ve karbonatı ekleyin. Homojen olana dek çırpın.
3. Tereyağını çok kısık ateşte eritin, üzerine rende peyniri ekleyin ve peynir iyice akışkan olana ve fokurdayana dek karıştırarak eritin.
4. Tereyağında eritilmiş peyniri bademli karışımın üzerine ekleyin. Tahta bir kaşığı ıslatın ve bu kaşık yardımı ile karışımı hızla karıştırarak güzelce birbirine yedirin. Ele hafif yapışan bir hamur elde edeceksiniz.
5. Ellerinizi ıslatın ve hamuru dikdörtgen şeklinde yağlanmış bir fırın kabına bastırarak yayın. 10 dakika pişirin. Fırından alın.
6. Sarımsağı ince ince kıyın ve küçük bir kapta zeytinyağı ile karıştırın.
7. Zeytinyağlı karışımı fırından çıkardığınız ekmeğin üzerine fırça ile sürün. Üzerine peynir rendesini serpin. Altın rengini alana dek 10 dakika daha pişirin. Kekik serpin, dilimleyip sıcak servis edin.

Cheeseburger Çörek

Hazırlık süresi 40 dakika

Malzemeler (10 adet için)
Hamuru için
- 1 orta boy yumurta
- 1,5 su bardağı (180 gr) tam yağlı İzmir Tulum veya Ezine Peyniri
- 1 su bardağı (80 gr) badem unu veya un gibi çekilmiş kaju/ceviz
- Yarım çay kaşığı karbonat
- 1 tatlı kaşığı elma veya üzüm sirkesi

Üzeri için
- 150 gr kıyma
- 1 küçük soğan (40 gr)
- 1 tatlı kaşığı domates salçası
- Yarım çay kaşığı kaya tuzu
- Yarım su bardağı (50 gr) rende dil veya mozzarella peyniri

Yapılışı
1. Fırınınızı 160 °C'ye ayarlayın.
2. Tüm malzemeleri geniş bir kaba alın, ele yapışan bir hamur oluşana dek yoğurun.
3. Ellerinizi ıslatın, hamurdan ceviz büyüklüğünde parçalar koparıp yağlanmış/kâğıtla kaplanmış muffin kalıplarının tabanına bastırarak yerleştirin.
4. Soğanı küp küp doğrayın, kıyma ile birlikte zeytinyağında hafifçe soteleyin. Salça ve tuzunu ekleyip karıştırmaya devam edin. Ateşten alın.
5. Kıymalı harcı muffin kalıplarına bastırılmış hamurun üzerine paylaştırın.
6. Hepsinin üzerine rendelenmiş dil peyniri serpiştirin.
7. Üzeri altın rengini alana dek 20-25 dakika pişirin.

İpucu
Bu çörekler soğuk da yenebildiği için nefis bir yolculuk atıştırmalığı olacaktır. Üzerine serpmek için parmesan veya eski kaşar kullanabilirsiniz.

Badem Unu İle Kıymalı Poğaça

Hazırlık süresi 50 dakika

Malzemeler (4 büyük boy poğaça için)

Hamuru için

- 1 orta boy yumurta
- 2 su bardağı (200 gr) rende dil veya mozzarella peyniri
- 1 su bardağı (80 gr) badem unu
- 2 çorba kaşığı (10 gr) un gibi çekilmiş keten tohumu
- 1/4 çay kaşığı karbonat
- 1 tatlı kaşığı elma veya üzüm sirkesi
- 2 çorba kaşığı (10 gr) eritilmiş tereyağı

İçi için

- 100 gr dana kıyma
- 1 küçük boy soğan (40 gr)
- 1 çorba kaşığı domates salçası
- 1 çay kaşığı kaya tuzu
- 1 diş sarımsak
- 2 çorba kaşığı zeytinyağı

Üzeri için (isteğe bağlı)

- Susam veya çörekotu

Yapılışı

1. Fırını 150 °C'ye ayarlayın.
2. Geniş bir kapta badem unu, keten tohumu, yumurta, sirke ve karbonatı çırparak karıştırın.
3. İç harcı hazırlamak için soğan ve sarımsağı incecik kıyın, zeytinyağında domates salçası ve kıyma ile hafifçe soteleyerek pişirin. Kenara ayırın.
4. Başka bir yerde tereyağını kısık ateşte eritin, üzerine rende dil peynirini ekleyin. Karıştırarak iyice akışkan olana ve fokurdayana dek eritin. Bademli karışımın üzerine eritilmiş peyniri ekleyin ve seri bir şekilde karıştırarak hafif sert bir hamur elde edin.
5. Peynir ve bademden yapılan hamuru 4 parçaya ayırın, pişirme kâğıdı üzerinde ellerinizi ıslatarak daire şeklinde, incecik açın. Ortasına kıymalı harçtan yerleştirip yarım daire şeklinde kapatın. Kenarlarını çatal yardımı ile bastırarak kapatın.
6. Yaklaşık 20 dakika pişirin. Servis edin.

Susamlı Cevizli Ketojenik Poğaça

Hazırlık süresi 50 dakika

Malzemeler (4 büyük boy poğaça için)
Hamuru için
- 1 yumurta
- 1,5 su bardağı dil veya mozzarella peyniri
- 3/4 su bardağı un gibi çekilmiş ceviz
- 1/4 çay kaşığı karbonat
- 1 tatlı kaşığı elma veya üzüm sirkesi
- 1 tatlı kaşığı tereyağı (erimiş)
- Hafifçe kavrulmuş susam (üzeri için)

Yapılışı
1. Fırınınızı 150 °C'ye ayarlayın.
2. Ceviz ununu geniş bir kaba alın ve üzerine 1 yumurta, sirke ve karbonatı ekleyin.
3. Tereyağını çok kısık ateşte eritin, üzerine rende peyniri ekleyin ve peynir iyice akışkan olana ve fokurdayana dek karıştırarak eritin.
4. Tereyağında eritilmiş peyniri cevizli karışımın üzerine ekleyin. Tahta bir kaşığı ıslatın ve bu kaşık yardımı ile karışımı hızla karıştırarak güzelce birbirine yedirin. Ele yapışan bir hamur elde edeceksiniz.
5. Ellerinizi ıslatın ve bu hamurdan parçalar koparıp elinizle daire şeklini vererek pişirme kâğıdı serilmiş fırın tepsinize yerleştirin.
6. Aynı işlemi diğer tüm hamur parçaları için tekrar edin. Üzerine susam serpin. 20 dakika pişirin. Servis edin.

Biberiyeli & Zeytinli Kaju Unlu Börek

Hazırlık süresi
40 dakika

Malzemeler (1 büyük
boy börek için)
- 80 gr çiğ kaju fıstığı veya 1 su bardağı un gibi çekilmiş çiğ kaju fıstığı
- 250 gr rendelenmiş tam yağlı dil veya mozzarella peyniri
- 2 çorba kaşığı oda ısısında tereyağı
- 1 orta boy yumurta (55-60 gr)
- 1 çay kaşığı toz sarımsak* veya 1 büyük diş rendelenmiş taze sarımsak
- 1 çorba kaşığı üzüm sirkesi
- 1 çay kaşığı karbonat
- 1 tutam taze biberiye**
- 15 adet siyah zeytin (çekirdeği çıkartılmış)
- Çörekotu, taze biberiye (üzeri için)

Yapılışı
1. Fırını 150 ºC'ye ayarlayın.
2. Tereyağını bir sos tenceresinde, kısık ateşte eritin. Üzerine rendelenmiş peyniri ekleyin ve akışkan kıvama gelip fokurdayana dek karıştırarak yine kısık ateşte pişirin.
3. Geniş bir kapta un gibi çekilmiş kaju, erimiş peynir, sirke, karbonat, sarımsak ve yumurtayı ele yapışan homojen bir hamur oluşana dek hızla karıştırın.
4. Hamura taze biberiye ve zeytinleri ekleyip iyice karışmasını sağlayın.
5. Ellerinizi ıslatıp hamuru pişirme kâğıdına aktarın, yine ellerinizle baget şeklini verin. Üzerine çörekotu/biberiye serpin ve 20 dakika altın rengini alana dek pişirin.

Notlar
Evdeki kalmış sarımsakları iyice kurutup kahve değirmeninden geçirerek ev yapımı krakerlere eklenecek enfes bir çeşni elde edebilirsiniz.
**Taze biberiye yerine dereotu/maydanoz veya fesleğen ekleyebilirsiniz.*

Badem Unlu Dereotlu Çörek

Hazırlık süresi 30 dakika

Malzemeler (10 adet çörek için)
- 1 orta boy yumurta
- 1,5 (180 gr) su bardağı tam yağlı İzmir tulum veya Ezine peyniri
- 1 su bardağı (80 gr) badem unu
- Yarım çay kaşığı karbonat
- 1 tatlı kaşığı elma veya üzüm sirkesi
- 2-3 çorba kaşığı kıyılmış dereotu
- Çörekotu (üzeri için)

Yapılışı
1. Fırınınızı 150 ºC'ye ayarlayın. Peyniri rendenin ince tarafında rendeleyin.
2. Tüm malzemeleri geniş bir kaba alın, ele yapışan bir hamur oluşana dek yoğurun.
3. Ellerinizi ıslatın, hamurdan ceviz büyüklüğünde parçalar koparıp elinizde yuvarlayın.
4. Hamur toplarını pişirme kâğıdı serilmiş fırın tepsinize en az iki parmak aralık bırakarak yerleştirin.
5. Üzerine çörekotu serpin. Yaklaşık 20 dakika, hamur iki katına çıkıp katılaşana dek pişirin.

Peynirli Pastırmalı Waffle

Hazırlık süresi 15 dakika

Malzemeler (3 adet waffle için)
- 4 orta boy yumurta
- 3 çorba kaşığı (60 gr) süzme yoğurt
- 2 çorba kaşığı (10 gr) eritilmiş tereyağı
- 3 adet (30 gr) iri dilim pastırma
- 1 su bardağı (100 gr) rende dil veya mozzarella peyniri
- 4 çorba kaşığı (20 gr) badem unu
- Waffle makinesini yağlamak için tereyağı

Yapılışı
1. Waffle makinenizi ısıtın (orta ısıda).
2. Yumurta, yoğurt ve tereyağını mikser ile yüksek devirde 2 dakika çırpın.
3. Pastırmaları küçük küçük doğrayın. Karışıma ekleyin. Rende peynir ve badem ununu da ekleyip tahta bir kaşıkla karıştırın.
4. Waffle makinenizi yağlayın. Karışımı bir kepçe yardımıyla dökerek paylaştırın. Kapağını kapatıp 4 dakika boyunca hiç açmayın.
5. Süre dolunca kapağı hafifçe kaldırıp pişip pişmediğini kontrol edin. Altın rengini aldığında dikkatlice çıkartın, hemen servis edin.

İpucu

Ev yapımı pastırma tercih ediniz. Fabrikasyon pastırmalar, çemeninde kullanılan buğday unundan dolayı glüten içermektedir.
Pastırma yerine ev/kasap yapımı sucuk kullanabilirsiniz.

Tahılsız Tost Ekmeği

Hazırlık süresi 90 dakika

Malzemeler (1 adet orta boy ekmek için)
- 200 gr çiğ kaju fıstığı veya 2,5 su bardağı un gibi çekilmiş çiğ kaju fıstığı (badem unu da olabilir)
- 4 adet orta boy yumurta
- 1 çorba kaşığı elma sirkesi
- Yarım çay kaşığı karbonat
- Yarım çay kaşığı tuz
- Yarım çay kaşığı mahlep (isteğe bağlı)

Yapılışı
1. Fırını 160 °C'ye ayarlayın
2. Kaju fıstıklarını un gibi olana dek kahve değirmeninde/robotta çekin.
3. Yumurtaları tuz ile birlikte köpürüp kabarana dek 2 dakika çırpın.
4. Yumurtaların üzerine diğer tüm malzemeleri ekleyip 1 dakika daha çırpmaya devam edin.
5. 20cmx10cm ebatlarında baton bir kalıbı pişirme kâğıdı ile kaplayın, üzerine kabak çekirdekleri serpiştirip fırına verin.
6. Pişince fırından çıkartın, 2 saat soğutun, ince ince dilimleyin.
7. Ekmek kızartma makinesinde kızartarak veya tost/sandviç yapımında kullanabilirsiniz.

Glutensiz Simit

Hazırlık süresi
25 dakika

Malzemeler (4 orta boy simit için)
- 2 su bardağı (200 gr) rendelenmiş dil veya mozzarella peyniri
- 1 orta boy yumurta
- 1 su bardağı (80 gr) badem unu
- 2 çorba kaşığı (10 gr) çekilmiş keten tohumu
- 2 çorba kaşığı (10 gr) eritilmiş tereyağı
- 1 çorba kaşığı üzüm sirkesi
- 1 çay kaşığı karbonat
- 1 çorba kaşığı (20 gr) üzüm pekmezi
- 2 çorba kaşığı susam

Yapılışı
1. Fırınınızı 150 ºC'ye ayarlayın.
2. Badem unu ve keten tohumunu geniş bir kaba alın ve üzerine yumurta, sirke ve karbonatı ekleyin. Çırpma teli ile çırpın.
3. Tereyağını çok kısık ateşte eritin, üzerine rende dil peynirini ekleyin ve peynir iyice akışkan olana ve fokurdayana dek karıştırarak eritin.
4. Tereyağında eritilmiş peynirli bademlu karışımın üzerine ekleyin. Tahta bir kaşığı ıslatın ve bu kaşık yardımı ile hızla karıştırarak güzelce birbirine yedirin. Hafif sert bir hamur elde edeceksiniz.
5. Ellerinizi ıslatın ve bu hamuru dört parçaya ayırın. Avucunuzda rulo şeklini verip uçlarını kapatarak hamura klasik simit şeklini verin. Pişirme kâğıdı serilmiş bir fırın tepsisinin üzerine yerleştirin. Şekil vermekte zorlanırsanız hamuru ortası delik daire şeklinde bir fırın kabına yayarak da pişirebilirsiniz.
6. Üzerine bir fırça yardımı ile nazikçe pekmez sürün, bol susam serpin. 15 dakika boyunca, hamurun üzeri renk alana dek pişirin. Servis edin.

Keten Tohumlu Bazlama

Hazırlık süresi 15 dakika

Malzemeler (4 adet küçük boy bazlama için)

- 1 adet orta boy serbest gezen tavuk yumurtası
- 4 çorba kaşığı (20 gr) çekilmiş keten tohumu
- 1 çorba kaşığı su
- 1 küçük diş sarımsak rendesi (isteğe bağlı)
- 1 fiske kaya tuzu
- 1/4 çay kaşığı karbonat
- 1 tatlı kaşığı ev yapımı elma sirkesi

Yapılışı

1. Orta boy bir kâsede yumurta ve tuzu çırpın.
2. İçine diğer malzemeleri sırası ile ekleyin. Homojen olana dek karıştırın.
3. Orta boy bir tavayı hafifçe zeytinyağı ile yağlayın.
4. Küçük bir kepçe yardımıyla oluşan karışımın dörtte birini tavaya dökün. Üzerinde kabarcıklar oluşana dek 2-3 dakika pişirin, ters çevirin ve diğer yüzünü de pişirin. Aynı işlemi karışımın kalanı için de tekrarlayın. Servis edin.

İpucu

Bu ekmeği sandviç ve mini pizzalar yapmak için kullanabilir, miktarını orantılı olarak artırıp dürüm ekmeği olarak da pişirebilirsiniz.

Muzlu Ekmek

Hazırlık süresi 75 dakika

Malzemeler (1 adet için)
- 4 orta boy yumurta
- 3 orta boy (390 gr) muz
- Yarım su bardağından 2 çorba kaşığı eksik (80 gr) eritilmiş tereyağı
- 4 çorba kaşığı (80 gr) akçaağaç şurubu veya tercih edeceğiniz bir başka doğal tatlandırıcı
- 1 su bardağı (100 gr) çiğ iç fındık
- 2 su bardağı (160 gr) toz rende hindistancevizi
- 2 tatlı kaşığı limon veya mandalina kabuğu rendesi

Yapılışı
1. Fırını 160 ºC'ye ayarlayın.
2. Yumurtaları çırpın. Muzları çatalla pütür kalmayana dek ezin.
3. Derin bir kapta önce yumurta, muz, akçaağaç şurubu ve erimiş tereyağını sonra da diğer tüm malzemeleri bir kaşık yardımı ile birbirine harmanlayın.
4. Karışımı 9x20 cm ebatlarında baton şeklinde ve yağlanmış bir kalıba dökün.
5. 1 saat kadar, iyice altın rengini alana dek pişirin, fırından alıp soğumasını bekleyin. Dikkatlice çıkarıp dilimleyin.

İpucu
Tahin pekmez, ev yapımı kakao kreması ile servis edilmesi önerilir.

Yumurtalı Ekmek

Hazırlık süresi 20 dakika

Malzemeler (6 adet için)
- 10 dilim badem unu ekmeği veya tahılsız tost ekmeği
- 2 yumurta
- 1 çimdik kaya tuzu
- Pişirmek için tereyağı veya sade yağ

Yapılışı
1. Yumurtaları tuz ile çırpın. Ekmek dilimlerini yumurtaya batırın.
2. Kısık ateşte yağı eritin.
3. Ekmek dilimlerini önlü arkalı olarak pişirin.
4. Hemen servis edin.

Şekersiz Çilek Reçeli

Hazırlık süresi 60 dakika

Malzemeler (1 küçük boy kavanoz için)
- 250 gr çilek
- 1 su bardağı ev yapımı hurma suyu
- 1 çorba kaşığı limon suyu

Yapılışı
1. Çilekleri ayıklayıp yıkayın, ortadan ikiye bölün.
2. Küçük bir sos tenceresine koyun, üzerine hurma suyunu ekleyin.
3. Kısık ateşte suyunu çekene dek pişirin, limon suyunu ekleyip 1 dakika daha kaynatın.
4. Ilındığında kavanoza koyup buzdolabında saklayın.

Şekersiz Karadut Reçeli

Hazırlık süresi 20 dakika

Malzemeler (1 küçük boy kavanoz için)

- 300 gr karadut
- 2 çorba kaşığı chia tohumu
- 2-3 çorba kaşığı bal
- 1 çay kaşığı vanilya özütü (isteğe bağlı)

Yapılışı

1. Dutları yıkayıp temizleyin ve geniş bir kapta bir çatal veya pürelik yardımı ile ezerek tanelerine ayırın ve suyunu çıkarın. Çok fazla ezmekten kaçının ki taneleri ağıza gelecek kıvamda kalsın.
2. Orta ateşte dutlar yumuşayana dek 10 dakika kadar pişirin, iyice ılındığında bal ve chia tohumlarını ekleyin.
3. Ilık servis edebilirsiniz ancak buzdolabında soğutursanız kıvamı daha güzel olacaktır. Afiyet olsun.

Notlar

Karadut yerine ahududu, böğürtlen veya çilek de kullanılabilir.

Muzlu Pankek

Hazırlık süresi 30 dakika

Malzemeler (9-10 adet küçük boy pankek için)
- 2 orta boy yumurta
- 2 adet orta boy (260 gr) muz
- 3 çorba kaşığı (15 gr) fındık veya badem unu
- 1 çimdik kaya tuzu

Yapılışı
1. Yumurtalar ve tuzu mikser ile köpük köpük olana dek çırpın.
2. Diğer malzemelerle birlikte mutfak robotuna yerleştirin, yüksek devirde parçalayarak karışımı pürüzsüz hale getirin. Hafif cıvık bir hamur elde edeceksiniz.
3. Pankek tavanızı yağlayın.
4. Tavaya hamurdan küçük bir kepçe dökün. Kısık ateşte, üzeri kabarcıklarla kaplanıncaya dek pişirin. Ters çevirin, diğer yüzünü de pişirin.
5. Ilık, tercihen bal ve kaymak ile birlikte servis edin.

Fındıklı Kahvaltılık Gevrek (Granola)

Hazırlık süresi 90 dakika

Malzemeler (1 orta boy kavanoz için)
- 1 su bardağı (100 gr) iç ceviz
- 1 su bardağı (100 gr) çiğ iç fındık
- Yarım su bardağı (40 gr) toz rende hindistancevizi
- 2 çorba kaşığı (10 gr) un gibi çekilmiş keten tohumu
- 1 çorba kaşığı (8 gr) kakao
- 2 çorba kaşığı (40 gr) akçaağaç şurubu
- 5 çorba kaşığı (25 gr) eritilmiş tereyağı veya hindistancevizi yağı
- 2-3 damla vanilya özütü (isteğe bağlı)

Yapılışı
1. Fındık ve cevizi mutfak robotunuzda pirinç tanesi boyutunda çekin. Geniş, derin bir kaba dökün.
2. Diğer tüm malzemeleri sırası ile ekleyin. Hepsini birbirine tahta bir kaşık yardımı ile harmanlayın.
3. Karışımı pişirme kâğıdı serilmiş geniş bir fırın tepsisine yayın. Önceden ısıtılmış 150 derece fırında ara sıra açıp tahta bir kaşıkla ters yüz edip karıştırarak, gevrekler kıtır kıtır olup, bütün evi mis gibi kokutana dek pişirin. Kolayca yanabileceği için sık sık kontrol etmeyi unutmayın.
4. Fırından alın, soğuduktan sonra cam bir kavanoza koyup kapağını sıkıca kapatarak serin bir yerde saklayın. En az bir ay dayanacaktır.

İpucu
Bu granolayı kahvaltılarda yoğurt/süt/kuruyemiş sütleri ile birlikte tüketebilir, parfe ve dondurmalarınıza farklı bir tat ve görüntü vermek için kullanabilirsiniz.

Karnabahar Bulguru Pilavı

Hazırlık süresi 30 dakika

Malzemeler (4 porsiyon için)
- 1 orta boy (750 gr) karnabahar
- 1 orta boy (70 gr) doğranmış soğan
- 2 diş doğranmış sarımsak
- Sotelemek için zeytinyağı
- 1 tutam köri baharatı
- 1 tutam karabiber
- 1 tutam kırmızı tatlı biber
- 1 çay kaşığı kaya tuzu

Yapılışı
1. Çiğ karnabaharı saplarından ayırın, iyice yıkayın, süzün. Mutfak robotunuza yerleştirip bulgur boyutuna gelene dek çekin.
2. Geniş bir tencerede, kısık ateşte soğan ve sarımsakları zeytinyağı ile çok hafif soteleyin.
3. Karnabaharları, tuzu ve baharatları ekleyip suyunu iyice çekinceye kadar kısık ateşte sürekli karıştırarak pişirin. Kavrulmasına izin vermeden ateşten alın. Servis edin.

İpucu
Haşlanmış nohut ve tavuk ile servis edilmesi önerilir. Karnabahar pilavı ile enfes bir kısır da yapabilirsiniz!

Mantarlı Dereotlu Pirinçsiz Risotto

Hazırlık süresi 40 dakika

Malzemeler (4 porsiyon için)
- 1 orta boy (750 gr) karnabahar
- 150 gr mantar (yıkanıp dilimlenmiş)
- 1 su bardağı (200 ml) ev yapımı süt kreması
- Yarım su bardağı (60 gr) rendelenmiş eski kaşar
- 1 tatlı kaşığı kaya tuzu
- Bol dereotu
- Sotelemek için zeytinyağı

Yapılışı
1. Karnabaharı saplarından ayırıp yıkayın. Mutfak robotunuzda bulgur tanesi büyüklüğüne gelinceye dek parçalayın.
2. Zeytinyağında mantarı soteleyin, suyunu salıp çektiğinde karnabaharı da ekleyin ve sotelemeye devam edin. Karnabahar da suyunu çekmeye başladığında dereotu, tuz, süt kreması ve peynir rendesini ekleyin.
3. Sıcak servis edin.

Domatesli Kıymalı Kabak Spagetti

Hazırlık süresi 25 dakika

Malzemeler (2 porsiyon için)

Sos için

- 100 gr kıyma
- 1 küçük soy (40 gr) soğan
- 1 çorba kaşığı tepeleme domates salçası
- 2 çorba kaşığı zeytinyağı
- 1 çay kaşığı kaya tuzu

Spagetti için

- 2 orta boy kabak (300 gr)

Yapılışı

1. Soğan, kıyma ve salçayı geniş bir tavada ve zeytinyağında hafifçe soteleyerek pişirin.
2. Kabakları spiral doğrayıcı ile spagetti şeklinde doğrayın.
3. Sosun içine kabak spagettileri ekleyip yaklaşık 1-2 dakika boyunca hafifçe karıştırarak orta ateşte pişirin. Çok yumuşamamalarına dikkat edin, 'aldente' olmaları gerekiyor.
4. Sıcak servis edin.

İpucu

Kabak spagettiyi süt kreması & ızgara edilmiş tavuk eti ve zerdeçal ile de denemeniz önerilir. Bu tarifte kabağı çiğ olarak da tüketebilirsiniz.

Tahılsız Hamur Kızartması

Hazırlık süresi 30 dakika

Malzemeler

- 1 su bardağı organik yerli mahsul sarı mercimek
- 1 küçük çay bardağı su (80 ml)*
- Tuz
- 1 iri diş sarımsak
- 1 çorba kaşığı ev yapımı üzüm veya elma sirkesi
- 1 /4 çay kaşığı karbonat
- Kızartmak için zeytinyağı

Yapılışı

1. Mercimekleri 18 saat çok az karbonat eklenmiş sıcak suda bekletin, bolca yıkayıp süzün. Gaps yapıyorsanız fermente edilmiş mercimek kullanınız.
2. Mutfak robotunuzda diğer malzemelerle birlikte patates püresi kıvamını alana dek çekin (evet, mercimeği çiğden çekiyoruz).
3. Tavanıza zeytinyağını ekleyin ve iyice kızdırın. Hamurdan bir tatlı kaşığı kadar parçalar alıp alıp kızmış yağın içine yavaşça koyun, altın rengini alana dek kızartın. Aynı işlemi hamur bitene dek tekrarlayın. Fazla yağını peçete ile aldırıp servis edin.

Not

* Suyu eklerken kıvama çok dikkat edin ve azar azar ekleyin, hamur sulu olursa kızarırken dağılır.

Fırında Beşamel Soslu Kabak Lazanya

Hazırlık süresi 85 dakika

Malzemeler (2 porsiyon için)
- 1 adet orta boy kabak
- 100 gr dana kıyma
- 1 küçük boy soğan
- 1 çorba kaşığı domates salçası
- 1 porsiyon unsuz beşamel sos (tarif için bakınız 1.bölüm)
- 100 gr dil veya mozzarella peyniri rendesi

Yapılışı
1. Talimatlara göre beşamel sosu hazırlayın. Fırını 150 ºC'ye ayarlayın.
2. Kabakları soyup ince halka şeklinde dilimleyin.
3. Soğan, kıyma ve domates salçasını biraz zeytinyağında soteleyerek kıymalı iç harç hazırlayın.
4. Baton şeklinde 18 cm dikdörtgen bir kalıbın dibini zeytinyağı ile yağlayın, sırası ile kabak dilimleri, kıymalı iç harç ve beşamel sos ile döşeyin. Üzerine peynir rendesi ilave edip altın rengini alana dek 50-55 dakika pişirin.

"Un ve rafine şeker gibi hızlı emilen (glisemik endeksi yüksek) şekerlerden kaçınarak insülin direncini yenebilirsiniz. Bu nedenle ekmek, mısır, çavdar, makarna, pirinç vb gibi tahıllar ve bunlar ile yapılan yemekler ve hamur işleri yenmemeli ya da iyice azaltılmalıdır. Rafine şekerler ve bunlarla yapılan yiyecekler yasaktır. Kendi şekeri ile yapılan köy pekmezleri ve Maraş usulü az şekerli dondurmalar az miktarda yenilebilir. Bal halis ise şifa verir."

Prof. Dr. Ahmet Aydın

Üçüncü Bölüm:
GLUTENSİZ KEKLER ÇİKOLATALAR TATLILAR ATIŞTIRMALIKLAR

Sağlıklı ve Farklı Tahin Helvası

Hazırlık süresi 15 dakika

Malzemeler (1 orta boy için)
- 1 su bardağı (200 ml) tahin
- 100 gr (1su bardağı + 4 çorba kaşığı) hindistancevizi unu (tarif için bakınız Birinci Bölüm)
- 4-5 çorba kaşığı bal (zevkinize göre, tadarak belirleyiniz)
- 1 çorba kaşığı kakao (isteğe bağlı)

Yapılışı
1. Geniş bir kapta kakao hariç tüm malzemeleri homojen olana dek karıştırın.
2. Tercihen 6x8 cm dikdörtgen şeklinde, pişirme kâğıdı serilmiş bir kalıba dökün.
3. Kakaolu tahin helvası isteniyorsa hamurun ¾'ünü kalıba dökün, kalan kısmına 1 çorba kaşığı kakao ekleyin ve homojen olana dek karıştırın. Kakaolu hamuru diğer hamurun üzerine dökün ve bir kürdan/çubuk yardımı ile iki renkli hamurun birbirine dalga dalga karışmasını sağlayın.
4. Buzdolabında en az 4 saat bekletin. Servis etmeden önce buzlukta 30 dakika bekletmek iyice katılaşmasını sağlayacaktır. Dilimleyin, servis edin. Buzdolabında saklayın.

Balkabaklı Muffin

Hazırlık süresi 75 dakika

Malzemeler (12 adet muffin için)
- 4 orta boy yumurta
- 6 çorba kaşığı hurma suyu veya akçağaç şurubu
- 100 gr (1 su bardağı + 4 çorba kaşığı) kuru hindistancevizi rendesi
- 80 gr (1 su bardağı çekilmiş) ceviz içi (veya kuruyemiş alerjisi olanlar için 50 gr daha hindistancevizi)
- 1 su bardağı (175-200 gr) doğranmış balkabağı
- 1 çay kaşığı vanilya özütü
- 1 çorba kaşığı limon suyu
- 50 ml (1/4 su bardağı) zeytinyağı
- 1 çay kaşığı karbonat
- 1 fiske kaya tuzu
- 1 silme tatlı kaşığı toz tarçın

Yapılışı
1. Balkabaklarını buharda veya fırında yumuşayıncaya dek pişirin.
2. Fırını 160 °C'ye ayarlayın.
3. Yumurtaların sarılarını ve aklarını ayırın.
4. Yumurta sarıları, hurma suyu, tuz, karbonat, vanilya, limon suyu, zeytinyağını pürüzsüz olana dek çırpın.
5. Balkabağı ve cevizi püre kıvamına gelene dek çekin.
6. Yumurta sarılarının olduğu karışıma balkabaklı karışımı ekleyin. Üzerine tarçın ve Hindistancevizini de ekleyip homojen olana dek karıştırın.
7. Yumurta aklarını bir fiske tuzla köpük köpük olana dek çırpın. Diğer karışıma yedirin.
8. Oluşan hamuru muffin kalıplarına paylaştırın, fırına verin.
9. Kabarıp altın rengini alınca çıkarın, ılınınca servis edin.

Limonlu Kek

Hazırlık süresi 80 dakika

Malzemeler (1 orta boy baton kek için)

Kek hamuru için

- 5 orta boy (45-55 gr) yumurta
- 4-5 çorba kaşığı hurma suyu
- 1 su bardağı un gibi çekilmiş çiğ kaju fıstığı (80 gr)
- 100 gr toz rende (1 su bardağı + 4 çorba kaşığı) hindistancevizi
- 2 adet limonun kabuğunun rendesi
- 1 adet limonun suyu
- 1 çay kaşığı karbonat
- 1 çay kaşığı vanilya özütü (isteğe bağlı)

Limon sosu için

- 1 limonun suyu
- 1 çay kaşığı limon kabuğu rendesi
- 3 çorba kaşığı (60 gr) bal veya 6 çorba kaşığı (60 gr) hurma suyu

Yapılışı

1. Fırını 160 °C'ye ayarlayın.
2. Yumurtaları hurma suyu ile birlikte derin bir kapta homojen olana dek çırpın.
3. Kaju fıstığını, limon suyunu, rendesini, karbonatı ve Hindistancevizini ekleyin. Mikser veya tahta kaşık yardımı ile normal kek hamurundan çok daha katı bir hamur elde edene dek karıştırın.
4. Bir sos tenceresinde limon suyunu hafifçe ısıtın. Ateşten alın. Limon kabuğu ve balı ekleyin. Homojen olana dek çırpın. Bir kenara ayırın.
5. Karışımı baton şeklinde 9x21 cm ölçülerinde yağlanmış/pişirme kâğıdı serilmiş veya silikon bir kalıba dökün, fırına verin. Bir saat pişirin.
6. Kalıptan çıkarmadan evvel soğumasını bekleyin. Dilimleyip limon sosu ile servis edin.

Cevizli Islak Kek

Hazırlık süresi 45 dakika

Malzemeler (4 kişilik)

Kek hamuru için

- 1 su bardağı (100 gr) ceviz içi (veya ceviz sütü yapımından artan 100 gr ceviz posası)
- 3 orta boy yumurta
- 3 çorba kaşığı (24 gr) kakao
- 12 adet hurma (96 gr)
- 2 tatlı kaşığı limon suyu
- 1 çay kaşığı karbonat
- 2 çorba kaşığı zeytinyağı veya hindistancevizi yağı

Sosu için

- Yarım su bardağı (100 ml) ev yapımı ceviz sütü
- 1 çorba kaşığı (8 gr) kakao
- 2 çorba kaşığı (20 gr) hurma suyu veya tercih edeceğiniz başka bir doğal tatlandırıcı

Yapılışı

1. Fırınınızı 160 °C'ye ayarlayın. Yumurtaları mikser yardımı ile 1 dakika çırpın.
2. Hurmaları yıkayın, çekirdeklerini çıkartın ve püre haline gelene dek robotunuzda çekin.
3. Cevizleri mutfak robotunuzda mümkün olduğunca ince olacak şekilde çekin.
4. Ceviz içi, yumurta, hurma püresi, kakao, limon suyu, zeytinyağı ve karbonatı pürüzsüz kıvama gelene dek, 4-5 dk, çırpın. Boza kıvamında bir hamur elde edin.
5. Oluşan hamuru 20x10 cm ebatlarındaki silikon/yağlanmış cam baton kalıba dökün, 30 dakika pişirin. Çıkarın, ılınmasını bekleyin.
6. Ceviz sütünü hafifçe ısıtın. Ilık süte kakao ve balı ekleyip homojen olana dek çırpın.
7. Sosu ılık kekin üzerine dökün. Sıvıyı çektikten sonra iyice soğumasını bekleyin, dilimleyip servis edin.

Tarçınlı Muzlu Kek

Hazırlık süresi 75 dakika

Malzemeler (1 orta boy baton kek için)
- 3 orta boy (390 gr) muz
- 6 orta boy yumurta
- 4 çorba kaşığı hurma suyu veya tercih edeceğiniz bir başka doğal tatlandırıcı
- 120 gr (1,5 su bardağı) toz rende hindistancevizi
- 2 çorba kaşığı (16 gr) tarçın
- 1 çorba kaşığı limon suyu
- 1 çay kaşığı karbonat
- 5 çorba kaşığı (25 gr) eritilmiş tereyağı veya hindistancevizi yağı

Yapılışı
1. Fırınınızı 160 °C'ye ayarlayın. Yumurtaları derin bir kapta mikser yardımı ile birkaç dakika çırpın.
2. Muzları bir çatal yardımı ile iyice ezin, yumurtalara ekleyin.
3. Diğer malzemeleri de sırası ile üzerine ekleyin, çırpma teli ile birkaç dakika boyunca, tüm malzemeler birbirine nüfuz edene dek çırpın.
4. Hamuru yağlanmış 24 cm ebatlarında standart ortası delik kalıba kalıba dökün, yaklaşık 1 saat pişirin. Fırından çıkarın, ılınmasını bekleyin, dilimleyip servis edin. Birinci bölümdeki bitter veya sütlü çikolata sosu ile servis etmenizi öneririm.

Kırmızı Pancarlı Brownie (Çiğden)

Hazırlık süresi: 20 dakika

Malzemeler (6 adet için)
- 1 adet orta boy (250 gr) kırmızı çiğ pancar
- 10 adet (120 gr) hurma
- 4 çorba kaşığı ham kakao veya keçiboynuzu tozu
- 100 gr ceviz içi
- 1 çay kaşığı vanilya özütü (isteğe bağlı)
- 1 fiske tuz
- Nar taneleri (üzeri için)

Yapılışı
1. Pancarı soyup rendenin ince tarafı ile rendeleyin. Suyunu çok iyi sıkıp bir kenara ayırın.
2. Hurmaları 15 dakika sıcak suda bekletip çekirdeklerini ayıklayın.
3. Mutfak robotunuzda ceviz, hurma, pancar, vanilya, tuz ve kakaoyu macun kıvamına gelene dek çekin.
4. Muffin kalıplarını muffin kâğıdı ile kaplayın. Hamuru bir kaşık yardımı ile kalıplara paylaştırın. Üzerini düzleştirip buzdolabında 1 saat bekletin. Üzerini nar taneleri ile süsleyip servis edin.

Pişmeyen Brownie

Hazırlık süresi 10 dakika

Malzemeler (12 orta boy dilim için)
- 2 su bardağı (200 gr) ceviz
- 4 çorba kaşığı (32 gr) kakao
- 4 çorba kaşığı (120 gr) tepeleme süt kaymağı veya hindistancevizi kreması
- 10 adet hurma (80 gr)
- 1 çimdik kaya tuzu

Yapılışı
1. Hurmaların çekirdeklerini ayıklayın.
2. Diğer tüm malzemelerle birlikte mutfak robotunuza yerleştirin.
3. Macun kıvamına gelene dek yüksek devirde çekin.
4. Dikdörtgen şeklinde tercihen silikon bir kalıba bastırarak yerleştirin, en az 3 saat buzdolabında bekletin. Dilimleyip servis edin.

Elmalı Sıcak Fudge Kek

Hazırlık süresi 55 dakika

Malzemeler (8 adet büyük boy için)
- 1 adet orta boy kırmızı elma (200 gr)
- 1,5 çorba kaşığı (11-12 gr) tarçın
- 1 su bardağı (80 gr) badem unu
- 12 adet hurma (12x8 gr)
- ¾ su bardağı (60 gr) ceviz
- 1 küçük yumurtanın beyazı (30 gr)

Yapılışı
1. Hurmaları 15 dakika ılık suda bekleyin. Çekirdeklerini çıkarıp bir kenara ayırın.
2. Elmayı soyup rendeleyin, tarçınla birlikte yumuşayıncaya dek (gerekirse yarım çay bardağı su ekleyerek) kısık ateşte karıştırarak pişirin.
3. Fırını 150 °C'ye ayarlayın.
4. Mutfak robotunuzun haznesine badem, ceviz, yumurta akı ve yumuşamış hurmaları yerleştirin, macun kıvamına gelene dek çekin. Elmayı ekleyip karışıma yedirin. Yapış yapış bir hamur elde edeceksiniz.
5. Hamuru pişirme kâğıdı serilmiş fırın tepsinize mümkünse bir dondurma kaşığı yardımı ile 2 cm aralıklarla yerleştirin. Dilerseniz muffin kalıpları da kullanabilirsiniz.
6. 20-25 dakika pişirin, tercihen ılık servis edin.

Cevizli Bisküvi

Hazırlık süresi 45 dakika

Malzemeler (20-25 adet bisküvi için)
- 100 gr ceviz içi (1 su bardağı)
- 50 gr (yaklaşık 2/3 su bardağı) toz rende hindistancevizi
- 10 adet hurma (10x8-9 gr)

Yapılışı
1. Fırını 150 °C'ye ayarlayın.
2. Hurmaları ılık suda 15 dakika bekletin, yumuşayınca çekirdeklerini çıkartın ve robotta çekip püre haline getirin.
3. Cevizleri mümkün olduğunca ince çekin. Ezme haline gelirse daha iyi.
4. Derin bir kapta ara sıra ellerinizi ıslatarak diğer malzemelerle birlikte yoğurun, ele hafif yapışan, macun kıvamında sert bir hamur elde edin.
5. Ceviz büyüklüğünde parçalar koparın, (ellerinizi sık sık ıslatmak yine çok yardımcı olacaktır) elinizde dikdörtgen şekil verip pişirme kâğıdı serilmiş tepsiye dizin.
6. Üzerine küçük bir çatal veya kürdan yardımı ile minik delikler açın.
7. Rengi değişene dek yaklaşık 20 dakika pişirin. Fırından alın. Soğuyup katılaştıktan sonra servis edebilirsiniz.

Ganajlı Fındık Unu Kurabiyesi

Hazırlık süresi 25 dakika

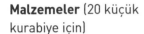

Malzemeler (20 küçük kurabiye için)

Hamur için

- 1 su bardağı (80 gr) toz fındık
- 1 tatlı kaşığı limon suyu
- Yarım çay kaşığı karbonat
- 4 çorba kaşığı (20 gr) eritilmiş tereyağı
- 1 çorba kaşığı (20 gr) pekmez veya tercih edeceğiniz başka bir doğal tatlandırıcı

Ganaj için

- 2 çorba kaşığı (40 gr) ev yapımı krem peynir veya çok yumuşak tuzsuz tam yağlı peynir
- 2 çorba kaşığı (40 gr) ev yapımı süt kaymağı
- 2 çorba kaşığı (40 gr) bal veya tercih edeceğiniz bir başka doğal tatlandırıcı
- 1 çay kaşığı vanilya özütü

Üzeri için

- Mandalina veya limon kabuğu rendesi

Yapılışı

1. Fırını 160 ºC 'ye ayarlayın.
2. Tüm malzemeleri derin bir kaba alın, birbirine karıştırıp yoğurun ve yumuşacık bir kurabiye hamuru elde edin. Ganaj malzemelerini derin bir kapta pürüzsüz kıvama gelene dek çırpın.
3. Hamuru iki adet pişirme kâğıdının arasında oklava yardımı ile 1 cm kalınlığında açın, daire şeklindeki bir kalıp ile yuvarlak şekiller kesin.
4. Pişirme kâğıdı serilmiş fırın tepsinize dizin, 10 dakika pişirin. Fırından çıkarın, soğutun, bir fırça yardımı ile vanilya ganajını kurabiyelerin üzerine sürün, mandalina/limon kabuğu rendesi serpiştirin ve hemen servis edin.

Keten Tohumlu Üzümlü Kurabiye

Hazırlık süresi 40 dakika

Malzemeler (10 adet orta boy için)

- 2 adet orta boy (400 gr) elma
- 4 çorba kaşığı (20 gr) un gibi çekilmiş keten tohumu
- 4 çorba kaşığı (20 gr) toz rende hindistancevizi
- 1 çay kaşığı tarçın
- 2 çorba kaşığı (20 gr) kuru üzüm
- 2 çorba kaşığı (20 gr) hurma suyu veya tercih edeceğiniz başka bir doğal tatlandırıcı

Yapılışı

1. Fırını 150 ºC'ye ayarlayın.
2. Elmaları yıkayın, kabuğu ile birlikte rendeleyin. Bir sos tenceresinde tarçınla birlikte yumuşayana dek pişirin.
3. Geniş bir kapta pişmiş elma, hurma suyu, keten tohumu ve hindistancevizini karıştırın. Üzümleri ekleyin. Tekrar karıştırın. Ellerinizi ıslatıp hamurdan ceviz büyüklüğünde parçalar koparın. Pişirme kâğıdı serilmiş fırın tepsisine dizin.
4. Yaklaşık 25 dakika pişirin. Ilınıp katılaştığında servis edin.

Kahveli Kurabiye (Çiğden)

Hazırlık süresi 15 dakika

Malzemeler (10 adet kurabiye için)
- 1 su bardağı (80 gr) un gibi çekilmiş çiğ kaju fıstığı
- 10 adet hurma (80 gr)
- 1 çorba kaşığı (10 gr) çekilmiş kahve
- 3 çorba kaşığı (24 gr) kakao
- 3 çorba kaşığı ılık su
- Kurabiyeleri kaplamak için ekstra kakao

Yapılışı
1. Kahve değirmeninde çektiğiniz kaju fıstığını, çekirdekleri çıkarılmış hurmaları, kahve, su ve 3 çorba kaşığı kakaoyu mutfak robotunuza yerleştirin.
2. Yapışkan bir macun olana dek yüksek devirde çekin.
3. Ellerinizi ıslatıp hamurdan ceviz büyüklüğünde parçalar koparın, avucunuzda yuvarlayıp kakaoya bulayın. Aynı işlemi tüm hamura uygulayın.
4. Bir çatal yardımı ile topların üzerine bastırarak kurabiye şekli verin. Buzdolabında saklayın.

Muz Kurabiyesi

Hazırlık süresi 20 dakika

Malzemeler (12 adet küçük boy kurabiye için)
- 1 orta boy muz (130 gr)
- 4 tepeleme çorba kaşığı (40 gr) toz rende hindistancevizi
- 2 adet orta boy gün kurusu kayısı

Yapılışı
1. Fırınınızı 160 °C'ye ayarlayın.
2. Muzu çatalla ezin. Hindistancevizini kahve değirmeninde un gibi olana dek çekin. Kayısıları küp küp doğrayın.
3. Muzu ve hindistancevizini geniş bir kaba alıp yoğurun. Kayısıları içine ekleyip tahta bir kaşık yardımıyla karıştırın.
4. Karışımdan küçük parçalar koparıp elinizde yuvarlayın. Pişirme kâğıdı serilmiş fırın tepsinize dizin, üzerine bir çatalla hafifçe bastırarak yayın. Aynı işlemi tüm hamura tekrarlayın.
5. 15 dakika pişirin, ılındığında servis edilebilir.

Yer Fıstıklı Çikolata Parçacıklı Kurabiye

Hazırlık süresi 50 dakika

Malzemeler (24 adet için)

Çikolatası için

* 8 çorba kaşığı (40 gr)eritilmiş tereyağı
* 4 çorba kaşığı (80 gr) hurma suyu/akçaağaç şurubu veya tercih edeceğiniz başka bir doğal tatlandırıcı
* 5 çorba kaşığı kakao (40 gr)

Kurabiye hamuru için

* 200 gr (4 su bardağı) kabuklu fıstık
* 1 yumurta
* Yarım çay kaşığı karbonat
* 2 çorba kaşığı (40 gr)bal veya tercih edeceğiniz başka bir doğal tatlandırıcı
* 1 çay kaşığı vanilya özütü
* 1 çimdik kaya tuzu

Yapılışı

1. Bir çırpma teli ile çikolata malzemelerini pürüzsüz kıvama gelene dek çırpın. Çikolata kalıplarına paylaştırıp en az dört saat buzlukta dondurun. Çıkartın, iri parçalar halinde doğrayın. Tekrar buzluğa yerleştirin.
2. Fıstıkların kabuklarını soyun. Mutfak robotunuzda pürüzsüz bir fıstık ezmesi haline gelene dek en yüksek devirde parçalayın.
3. Yumurtayı şurup, vanilya, tuz ve karbonatla çırpın. Karışımı fıstık ezmesine yedirin.
4. Oluşan macun kıvamında hamura en son parçalanmış çikolataları ekleyin ve tahta bir kaşık yardımıyla karıştırın.
5. Hamuru dinlenmesi için 10 dakika buzlukta bekletin. Fırını 150 °C'ye ayarlayın.
6. Ellerinizi ıslatın. Dinlenen hamurdan ufak ceviz iriliğinde parçalar koparın ve avucunuzda yuvarlayın. Pişirme kâğıdı serilmiş fırın tepsinize üzerine bastırarak 2 cm aralıklarla yerleştirin.
7. 15-20 dakika pişirin. Soğutun. Servis edin.

Portakallı Makaron Kurabiye

Hazırlık süresi 60 dakika

Malzemeler (10 adet için)

- 1 orta boy yumurta akı
- 1 çimdik tuz
- 60 gr (3/4 su bardağı) toz rende hindistancevizi
- 1 orta boy portakal kabuğu rendesi
- ¼ portakal suyu rendesi
- 2 çorba kaşığı (40 gr) akçaağaç şurubu veya tercih edeceğiniz başka bir doğal tatlandırıcı

Yapılışı

1. Fırını 150 ºC'ye ayarlayın.
2. Portakalı yıkayıp kabuğunu rendenin ince tarafı ile rendeleyin.
3. Yumurta akını ve tuzu mikser yardımı ile sert bir köpük oluşana dek çırpın. Üzerine portakal kabuğu rendesi, hindistancevizi, portakal suyu ve şurubu ekleyin. İyice karıştırın.
4. Elinizle küçük parçalar koparıp yuvarlayın. Pişirme kâğıdı serilmiş fırın tepsinize dizin. Yaklaşık 30 dakika hafifçe kızarana dek pişirin. Ilındığında servis edebilirsiniz.

Tuzlu Yeşil Kurabiye

Hazırlık süresi 65 dakika

Malzemeler (15 adet için)

- 1 demet pazı
- 1 çorba kaşığı (10 gr) katı tereyağı
- 3/4 su bardağı(60 gr) un gibi çekilmiş ay çekirdeği içi, keten tohumu veya badem unu
- 4 tepeleme çorba kaşığı tulum peyniri (20-25 gr)
- 1 diş rendelenmiş sarımsak
- Çörekotu (üzeri için)

Yapılışı

1. Pazıları ayıklayın ve yapraklı kısımlarını ince ince kıyın.
2. Tereyağını bir sos tenceresinde eritin ve üzerine kıyılmış pazı yapraklarını ekleyin. Yumuşayıp suyunu çekene dek kısık ateşte karıştırarak pişirin.
3. Fırını 150 °C'ye ayarlayın.
4. Mutfak robotunuzda pişmiş pazı yapraklarını ve sarımsağı püre olana dek yüksek devirde çekin. Geniş bir kaba aktarın.
5. Kahve değirmeninde çektiğiniz tahılsız unu ve tulum peynirini de karışıma ekleyin. Tahta bir kaşık yardımı ile birbirine nüfuz edene dek karıştırın.
6. Oluşan hamurdan ceviz büyüklüğünde parçalar koparıp dilediğiniz şekli verin. Pişirme kâğıdı serilmiş fırın tepsisine dizin. Her bir kurabiyenin üzerine çörekotu serpin. Yaklaşık 30-35 dakika pişirin. Yarım saat dinlendirin. Servis edin.

İpucu

Bu kurabiyeyi ıspanak ile de deneyebilir, ay çekirdeği unu yerine badem veya kaju fıstığı unu da kullanabilirsiniz.

Glutensiz Yaş Pasta

Hazırlık süresi 105 dakika

Malzemeler (1 orta boy pasta için)
Pandispanya için

- 4 orta boy yumurta
- 10 çorba kaşığı hurma suyu (100 gr) veya tercih edeceğiniz başka bir doğal tatlandırıcı
- Yarım su bardağı (100 gr) ev yapımı krem peynir veya çok yumuşak tuzsuz tam yağlı peynir
- 8 çorba kaşığı (40 gr) toz rende hindistancevizi
- 6 çorba kaşığı (30 gr) toz fındık
- 1 tatlı kaşığı karbonat
- 2 tatlı kaşığı limon suyu
- 3 tepeleme çorba kaşığı (45 gr) kakao
- 1 çimdik kaya tuzu
- 1 çay kaşığı vanilya özütü

İç ve üzeri kreması için

- 1 su bardağı ev yapımı krem peynir (200 gr) veya çok yumuşak tuzsuz tam yağlı peynir
- Yarım su bardağı (100 gr) ev yapımı süt kaymağı
- 2 çorba kaşığı (40 gr) bal veya tercih edeceğiniz başka bir doğal tatlandırıcı
- 1 çay kaşığı vanilya özütü (tercihe bağlı)

İçi için

- ¾ su bardağı vişne (donmuş olabilir)

Yapılışı

1. Fırını 150 °C'ye ayarlayın.
2. Pandispanya malzemelerini sırası ile derin bir kaba koyup pürüzsüz kıvama gelene dek çırpın. Blender veya mutfak robotu yardımı ile yüksek devirde ayrıca 3-4 dakika çırparak karışımı pürüzsüzleştirin.
3. Karışımı pişirme kâğıdı ile kaplanmış 18 cm çapında daire şeklinde bir kalıba dökün. Bir saat 15 dakika pişirin. Bir kürdan yardımıyla pişip pişmediğini kontrol edip fırından alın ve soğumaya bırakın.
4. Krema malzemelerini mikserle pürüzsüz hale gelene dek çırpın. Soğuyan pandispanyayı dikkatlice ortadan ikiye bölün. Vişnenin bıraktığı kendi suyu ile hafifçe ıslatın. Ortasına 4-5 çorba kaşığı krema döküp yayın. Üzerine vişneleri ekleyin. Pandispanyanın diğer yarısını üzerine kapatın.
5. Kremanın kalanını pastanın üzerine döküp yayın. Pastayı dilediğinizce süsleyin.

Rulo Pasta

Hazırlık süresi 45 dakika

Malzemeler (1 orta boy rulo pasta/10 dilim için)

Pasta için
- 200 gr (2 su bardağı) ceviz içi
- 200 gr (20-25 gr) hurma
- 1 çimdik kaya tuzu
- 25 gr (3 çorba kaşığı) kakao

Kreması için
- Yarım su bardağı krem peynir
- ¼ su bardağı süt kaymağı
- 1 çay kaşığı vanilya özütü
- 3-4 çorba kaşığı üzüm pekmezi veya bal

İçi için
- 1 adet büyük boy muz
- Ekstra yarım su bardağı toz rende hindistancevizi

Yapılışı

1. Hurmaları sıcak suda 30 dakika bekletin, çekirdeklerini çıkarıp mutfak robotunuza yerleştirin. Ceviz, tuz ve kakaoyu da ekledikten sonra yüksek devirde sert bir hamur elde edene dek çekin.
2. Krema malzemelerini homojen olana dek çırpın, sertleşmesi için buzdolabına yerleştirin.
3. Mutfak tezgâhınızda yapışmaz bir yüzeyde hamuru ellerinizle 1 cm kalınlığında, 25x15 cm ebatlarında açın.
4. Hamurun üzerine kremayı yayın, muzu soyun ve hamurun üst kısmına yerleştirin. Çok nazikçe sararak rulo haline getirin. Hindistancevizine bulayın. Buzdolabında 1 saat dinlendirin. Dilimleyip servis edebilirsiniz.

Glutensiz Köstebek Pasta

Hazırlık süresi
45 dakika

Malzemeler (4 orta boy dilim için)

Dış yüzey için
- 200 gr (2 su bardağı) ceviz içi
- 150-160 gr (20 adet) hurma*
- 4 çorba kaşığı kakao

Kreması için
- 3 tepeleme çorba kaşığı süt kaymağı
- 3 tepeleme çorba kaşığı krem peynir veya çok yumuşak tuzsuz tam yağlı beyaz peynir
- 1 çay kaşığı vanilya özütü
- 2 çorba kaşığı (40 gr) bal veya akçağaç şurubu

İçi için
- 1 büyük boy muz

Üzeri (toprak görünümü) için
- 2 avuç fındık veya ceviz içi
- 1 çorba kaşığı kakao

Yapılışı
1. Hurmayı en az yarım saat sıcak su içinde bekletin, çekirdeklerini çıkartın. Ceviz ve kakaoyla birlikte macun kıvamına gelene dek mutfak robotunda çekin. Ele hafif yapışan bir hamur elde edeceksiniz.
2. Muzları dilimleyin. Krema malzemelerini çırpma teli ile homojen olana dek çırpın.
3. Pişirme kâğıdı ile kaplanmış 16 cm çapında oval, derin bir kâseye hamuru parmaklarınız yardımı ile iyice yayın. İçine önce kremayı, sonra muz dilimlerini doldurun. Üst kenarlardan nazikçe torba gibi bükerek keki tamamen kapatın. Servis tabağına ters çevirip pişirme kâğıdını dikkatlice ayırın.
4. Buzdolabında 1 saat bekletin.
5. Toprağımsı görüntüyü elde etmek için fındık/ceviz ve kakaoyu birlikte mutfak robotunda çekin. Kekin üzerine serpin, dilimleyip servis edin.

Kırmızı Pancarlı Makaron Kurabiye

Hazırlık süresi 50 dakika

Malzemeler (12 adet için)
- 1 adet küçük boy kırmızı pancar (100 gr)
- 3/4 su bardağı toz rende hindistancevizi (60 gr)
- 2 çorba kaşığı akçaağaç şurubu (40 gr)
- 1 yumurta beyazı
- 1 çimdik kaya tuzu

Yapılışı
1. Fırını 150 ºC'ye ayarlayın.
2. Mikser yardımı ile katı bir köpük oluşana dek yumurta beyazı ve tuzu çırpın.
3. Pancarı soyun, rendenin ince tarafında rendeleyin.
4. Geniş bir kapta pancar rendesi, hindistancevizi, şurup ve çırpılmış yumurta beyazını karıştırın.
5. Oluşan hamurdan küçük parçalar koparıp elinizde şekil verin, pişirme kâğıdı serilmiş fırın tepsisine 1 cm aralıklarla yerleştirin.
6. 6-30 dakika pişirin, ılındığında servis edebilirsiniz.

Parfe Mandalina

Hazırlık süresi 30 dakika

Malzemeler (2 porsiyon için)

Kreması için

- 4 çorba kaşığı (80 gr) ev yapımı krem peynir veya çok yumuşak tuzsuz tam yağlı peynir
- 4 çorba kaşığı (80 gr) ev yapımı süzme yoğurt
- 4 çorba kaşığı (80 gr) ev yapımı süt kaymağı
- 1-2 çorba kaşığı bal (20-40 gr) veya tercih edeceğiniz başka bir doğal tatlandırıcı
- 2-3 damla vanilya özütü
- 4 çorba kaşığı fındıklı kahvaltılık gevrek (granola tarifini ikinci bölümde bulabilirsiniz)

Üzeri için

- 2 adet orta boy mandalina

Yapılışı

1. Krem peynir, yoğurt, süt kaymağı, bal ve vanilyayı mikserle yüksek devirde iki dakika çırpın.
2. Oluşan krema ve kahvaltılık gevrekleri cam kuplara katmanlı görünecek şekilde paylaştırın.
3. Mandalinaların dış ve iç kabuklarını soyun, içini çıkartın. Parfelerin üzerine dizin. Buzdolabında iki saat soğutun, servis edin.

Balkabaklı Cheesecake

Hazırlık süresi 40 dakika

Malzemeler (4 porsiyon için)

Tabanı için

- 3/4 su bardağı (60 gr) toz rende hindistancevizi
- 6 çorba kaşığı (30 gr) eritilmiş tereyağı
- 1 çimdik kaya tuzu
- 6 çorba kaşığı (30 gr) toz fındık
- 1,5 çorba kaşığı (30 gr) bal veya tercih edeceğiniz başka bir doğal tatlandırıcı

Üzeri için

- 3 orta boy dilim balkabağı (veya 1,5 su bardağı balkabağı püresi)
- 4 tepeleme çorba kaşığı (120 gr) ev yapımı krem peynir veya çok yumuşak tuzsuz tam yağlı peynir
- 2 tepeleme çorba kaşığı (60 gr) ev yapımı süt kaymağı
- 4 çorba kaşığı bal (80 gr) veya tercih edeceğiniz başka bir doğal tatlandırıcı

Yapılışı

1. Balkabaklarını soyup dilimleyin, yağlanmış fırın tepsinize dizin ve 180 ºC'de yumuşacık olana dek pişirin.
2. Pişen balkabağını mutfak robotuna yerleştirin, yüksek devirde çalıştırarak püre haline getirin.
3. Taban malzemelerini derin bir kapta iyice karıştırın ve 18x18 cm tercihen silikon bir kalıba bastırın. Buzdolabında en az 1 saat bekletin.
4. Balkabağı püresi, krem peynir, süt kaymağı ve balı mikser yardımı ile karıştırıp pürüzsüz hale getirin. Karışımı buzdolabından aldığınız tabanın üzerine dökün.
5. Cheesecake'nizi buzdolabında 3-4 saat dinlendirip dilimleyin, ceviz ve tarçınla süsleyip servis edin.

Yer Fıstıklı Fudge Kek

Hazırlık süresi 15 dakika

Malzemeler (1 orta boy cheesecake için)
- 2 su bardağı (200 gr) ayıklanmış yer fıstığı
- 2 çorba kaşığı (40 gr) bal veya tercih edeceğiniz başka bir doğal tatlandırıcı
- 3 çorba kaşığı (60 gr) ev yapımı süt kaymağı
- 3-4 damla vanilya özütü (isteğe bağlı)
- 1 çimdik kaya tuzu

Yapılışı
1. Yer fıstıklarınız çiğ ise seramik bir tavaya alın ve kokusu çıkana dek yakmadan hafifçe kavurun. Yağ eklemeyin.
2. Yer fıstıklarını mutfak robotunuza aktarın. Diğer malzemelerin tamamını ekleyin. Yüksek devirde yapışkan bir macun kıvamı alana dek çekin.
3. Karışımı kalıplara paylaştırıp bastırın.
4. Buzdolabında iki saat bekletin. Servis edin.

Fındıklı Fudge Kek

Hazırlık süresi 20 dakika

Malzemeler (6 adet orta boy dilim için)
- 1 su bardağı (80 gr) toz fındık
- 2 çorba kaşığı (40 gr) ev yapımı süt kaymağı
- 4-5 adet (32-40 gr) hurma (ağız tadınıza göre artırabilirsiniz)
- 2 çorba kaşığı (16 gr) kakao
- 1 çimdik kaya tuzu
- Üzeri için ekstra kakao

Yapılışı
1. Hurmaların çekirdeklerini ayıklayın ve malzemelerin tamamı ile birlikte macun kıvamını alana dek mutfak robotundan geçirin.
2. Dikdörtgen şeklinde 8x8 cm ebatlarında tercihen silikon bir kalıba bastırarak yayın. En az 3-4 saat dolapta bekletin.
3. Dilimleyin, üzerine kakao serpiştirin ve servis edin.

Karamelli & Çikolatalı Kayısılı Dilimler

Hazırlık süresi 30 dakika

Malzemeler (6 adet için)
- 6 adet iri gün kurusu kayısı
- ¾ su bardağı (60 gr) toz rende hindistancevizi
- 2 çorba kaşığı (16 gr) kakao
- 1 çimdik kaya tuzu
- 2 çorba kaşığı (40 gr) ev yapımı taze süt kaymağı

Yapılışı

Kayısıları ılık suda bekletip yumuşamalarını sağlayın. Mutfak robotunda püre haline getirin. Diğer malzemelerin tamamını üzerine ekleyin. Karışım yapışkan bir macun halini aldığında tercihen dikdörtgen ve silikon bir kalıba bastırarak yayın. Bir gece buzdolabında bekletin. Dilimleyip Birinci Bölüm'de tarifini bulacağınız 'karamel sosu' üzerine dökerek servis edin.

Nişastasız Cevizli Sucuk

Hazırlık süresi 30 dakika

Malzemeler (1 adet için)
- Yarım su bardağı (40 gr) toz rende hindistancevizi
- 6 adet gün kurusu kayısı
- Yarım su bardağı (40 gr) rondoda çekilmiş ceviz içi
- Ekstra Yarım su bardağı (50 gr) ceviz içi
- 1 çay kaşığı tarçın

Yapılışı
1. Hindistancevizi, gün kurusu kayısı, tarçın ve cevizi macun kıvamına gelene dek mutfak robotundan geçirin.
2. İçine ekstra ceviz içlerini ekleyin. Bir kaşık yardımıyla karışıma harmanlayın.
3. Karışımı pişirme kâğıdına döküp ince bir rulo haline getirerek sarın. Uçlarını bükerek kapatın.
4. En az 2 saat buzdolabında bekletin. Dilimleyin, servis edin.

Havuçlu Dilimler

Hazırlık süresi 20 dakika

Malzemeler (6 porsiyon için)
- 3/4 su bardağı (60 gr) toz rende hindistancevizi
- 6 adet İran hurması (48 gr) veya 4 çorba kaşığı (40 gr) kuru üzüm
- 2 çorba kaşığı (15-20 gr) ceviz içi
- 1 tatlı kaşığı tarçın
- 1 çorba kaşığı (5 gr) eritilmiş tereyağı
- 1 çimdik portakal kabuğu rendesi
- 2 orta boy (100 gr) havuç (rendelenmiş)
- Servis için ev yapımı süt kaymağı veya hindistancevizi kreması

Yapılışı
1. İlk altı malzemeyi mutfak robotundan geçirin, macun kıvamına getirin.
2. Havuçları ekleyip tahta bir kaşık yardımıyla karışıma yedirin.
3. 8x8 cm kare şeklinde tercihen silikon bir kalıba bastırarak yayın, en az 2 saat buzdolabında bekletin. Dilimleyin, kaymakla birlikte servis edin.

Koko Künefe

Hazırlık süresi 20 dakika

Malzemeler (1 porsiyon için)

Tabanı için

- 3/4 su bardağı (60 gr) toz rende hindistancevizi
- 2 çorba kaşığı (10 gr) eritilmiş tereyağı
- 3 adet hurma (24 gr)

Arası için

- 2 çorba kaşığı ince rendelenmiş tuzsuz dil peyniri

Servis için

- Ev yapımı süt kaymağı
- Toz antepfıstığı

Yapılışı

1. Fırınınızı 180 ºC'ye ayarlayın. Topraktan 10 cm çapında bir kabı yağlayın/pişirme kâğıdı ile kaplayın.
2. Hindistancevizi, tereyağı ve hurmayı birbirine iyice karışana dek mutfak robotundan geçirin.
3. Karışımın yarısını toprak kabın tabanına yayın. Kaşıkla üzerine bastırarak sıkıştırın. Üzerine peynir rendesini koyup kalan hindistancevizli karışımla üzerini kapatın. Kaşıkla iyice bastırarak tekrar sıkıştırın.
4. Fırında 10 dakika kadar pişirin, fırının ızgarasını açın ve üzerini hafifçe kızartın. Dikkat, fırında çok kalırsa içindeki peynir kuruyabilir. Fırından çıkarın, kaymakla ve antepfıstığı ile servis edin.

Çikolatalı Vişneli Cheesecake

Hazırlık süresi 30 dakika

Malzemeler (1 orta boy cheesecake için)
- 2 su bardağı (200 gr) ceviz içi
- 10 adet hurma (80 gr)
- 2 tepeleme (30 gr) çorba kaşığı kakao
- 1 çimdik kaya tuzu
- 4 çorba kaşığı (80 gr) ev yapımı krem peynir veya çok yumuşak tuzsuz tam yağlı peynir
- 2 çorba kaşığı (40 gr) süt kaymağı
- 1 su bardağı donmuş, çekirdeği çıkarılmış vişne

Yapılışı
1. Hurmaların çekirdeklerini ayıklayın.
2. Vişne dışındaki tüm malzemeleri mutfak robotunuza yerleştirin, macun kıvamına gelene dek yüksek devirde çalıştırın.
3. Donuk vişneleri karışıma ekleyin, tahta bir kaşıkla sulanmasına izin vermeden hafifçe karışıma yedirin.
4. Seri bir şekilde karışımı 18cm daire şeklinde bir kalıba bastırın, buzlukta 1 saat dinlendirip dilimleyin, servis edin.

Tiramisu Pasta

Hazırlık süresi 30 dakika

Malzemeler (4 kare dilim için)
İlk katı için
- 120 gr ceviz içi (çekilmiş 1,5 su bardağı)
- 120 gr hurma (10-12 adet)
- 60 gr süt kaymağı (2 tepeleme çorba kaşığı)*
- 1 çorba kaşığı çekilmiş kahve

İkinci kat için
- 3 adet yerli muz (kabuğu ile 420 gr)
- 120 gr mascarpone veya labne peyniri (4 tepeleme çorba kaşığı)**
- 4 çorba kaşığı bal veya akçaağaç şurubu
- 1 çay kaşığı vanilya özütü

Üzeri için
- Kakao

Yapılışı

1. İlk katı için belirtilen tüm malzemeleri mutfak robotunuzda macun kıvamına gelene dek çekin, 10x10 cm kare bir kalıba bastırarak yayın.
2. İkinci kat malzemelerini püre kıvamına gelene dek çekin, ilk katın üzerine yayın.
3. Buzlukta 1,5 saat bekletin.
4. Üzerine kakao serpip servis yapın.

Notlar

*Kaymak yerine hindistancevizi veya kaju kreması kullanılabilir.
**Mascarpone peyniri yerine herhangi bir yumuşak tuzsuz peynir kullanılabilir. Süt ürünü tüketemiyorsanız yerine hindistancevizi veya kaju fıstığı kreması kullanılabilir.

Krem Şokola

Hazırlık süresi 10 dakika

Malzemeler (2 orta boy porsiyon için)
- 50 gr ev yapımı çikolata
- 1 su bardağı (200 gr) mascarpone veya labne peyniri
- 2/3 su bardağı (110-140 gr) süt kaymağı
- 3-4 çorba kaşığı (60-80 gr) bal
- 1 çay kaşığı vanilya özütü

Yapılışı
1. Çikolatayı benmari usulü eritin.
2. Derin bir kaba kaymak ve peyniri koyun, üzerine eritilmiş çikolata ve diğer malzemeleri ekleyin. Puding kıvamı alana dek çırpın. Servis kâselerine aktarın. Ilık veya soğuk tüketebilirsiniz.

İpucu
Bu tarif dondurma olarak da tüketilebilir.

Çikolatalı Sağlıklı Puding

Hazırlık süresi 10 dakika

Malzemeler (2 orta boy porsiyon için)

- 1 orta boy avokado
- 1 orta boy muz (130 gr)
- 1 tepeleme çorba kaşığı (15 gr) kakao
- 1 çorba kaşığı (20 gr) hurma püresi / bal veya tercih edeceğiniz başka bir doğal tatlandırıcı

Yapılışı

1. Tüm malzemeleri mutfak robotunuzda pürüzsüz kıvama gelene dek çırpın.
2. Kâselere paylaştırıp buzdolabında soğutun. Servis edin.

Sağlıklı Çilekli Puding

Hazırlık süresi 10 dakika

Malzemeler (3 porsiyon için)
- 1 orta boy avokado (100 gr)
- 20-25 adet küçük boy (150 gr) tarla çileği
- 2 tepeleme çorba kaşığı (60 gr) süt kaymağı (veya hindistancevizi/fıstık kreması)
- 2 çorba kaşığı (40 gr) bal
- Yarım çay kaşığı vanilya özütü (isteğe bağlı)

Yapılışı
1. Tüm malzemeleri pürüzsüz olana dek blenderda çekin.
2. Kâselere paylaştırıp buzdolabında soğutun. Servis edin.

Muzlu Muhallebili Lokum Dilimi

Hazırlık süresi 15 dakika

Malzemeler (8 dilim için)

Hamuru için
- 2 orta boy muz (130 gr/muz)
- 1 su bardağı (80 gr) ev yapımı hindistancevizi unu

İçi için
- 1 adet orta boy muz

Muhallebisi için
- 3 çorba kaşığı (21 gr) tahin
- 1 çorba kaşığı (20 gr) bal veya tercih edeceğiniz bir başka doğal tatlandırıcı
- 1 çorba kaşığı (8 gr) kakao

Dışı için
- Toz rende hindistancevizi

Yapılışı

1. İki adet orta boy muzu soyun, derin bir kaba alın ve ezerek püre haline getirin. Hindistancevizini ekleyip ele yapışmayan bir hamur haline gelene dek yoğurun.
2. Muhallebisini yapmak için tahin, bal ve kakaoyu çırpma teli ile iyice karışana dek çırpın.
3. Hamuru yapışmaması için bolca toz rende hindistancevizi serptiğiniz bir yüzeyde ellerinizle bastırarak yaklaşık 20x20cm ebatlarında büyük bir kare şeklinde açın. Hamurun bir ucuna üçüncü muzu bütün olarak yerleştirin. Üzerini muhallebi ile kaplayın.
4. Muz ve muhallebiyi koyduğunuz kenardan başlayarak hamuru nazikçe rulo yapın. Kenarlarından bastırarak kapatın. Ruloyu ileri geri yuvarlayarak hindistancevizi ile kaplayın.
5. İster hemen, ister buzdolabında yarım saat beklettikten sonra dilimleyip tüketebilirsiniz. Bekledikçe muz kararacaktır o sebeple en kısa sürede tüketilmelidir.

Çikolatalı Antepfıstıklı Tart

Hazırlık süresi 20 dakika

Malzemeler (1 orta boy için)

Tabanı için

- 60 gr toz rende hindistancevizi (3/4 su bardağı)
- 10 adet (80 gr) hurma
- 3/4 su bardağı (60 gr) toz antepfıstığı
- 3 çorba kaşığı (15 gr) eritilmiş tereyağı

Kreması için

- 50 gr ev yapımı çikolata
- 1 su bardağı (200 gr) ev yapımı krem peynir veya çok yumuşak tuzsuz tam yağlı peynir
- 2/3 su bardağı (120-140 gr) süt kaymağı
- 3-4 çorba kaşığı (60-80 gr) bal
- 1 çay kaşığı vanilya özütü
- Yarım su bardağı bütün antepfıstığı içi

Yapılışı

1. Yukarıda belirtilen taban malzemelerini mutfak robotunuza yerleştirin ve macun kıvamını alana dek yüksek devirde çekin. Karışımı 14 cm çapında, yapışmaması için tercihen pişirme kâğıdı ile kaplanmış kelepçeli kalıba bastırarak yayın.
2. Bitter çikolatayı benmari usulü eritin, krem peynir, kaymak, bal ve vanilya özütü ile pürüzsüz kıvam alana dek çırpın.
3. İçine Yarım su bardağı antepfıstığını karıştırın ve karışımı kelepçeli kalıba, tabanın üzerine dökün.
4. Buzlukta 2 saat dinlendirin. Süsleyip dilimleyin, servis edin.

Glutensiz Ekler Pasta

Hazırlık süresi 40 dakika

Malzemeler (10-12 adet için)

Hamuru için
- 1 su bardağı (80 gr) toz fındık
- 2 çorba kaşığı hurma suyu
- 1 orta boy yumurta
- 1 tatlı kaşığı limon suyu
- Yarım çay kaşığı karbonat
- 1 su bardağı (100 gr) rendelenmiş tuzsuz dil peyniri
- 2 çorba kaşığı (10 gr) eritilmiş tereyağı

Dolgu kreması için
- 2 tepeleme çorba kaşığı (60 gr) ev yapımı krem peynir veya çok yumuşak tuzsuz tam yağlı peynir
- 2 tepeleme çorba kaşığı (60 gr) ev yapımı süt kaymağı
- 1 çorba kaşığı (20 gr) bal veya tercih edeceğiniz bir başka doğal tatlandırıcı
- 1 çay kaşığı vanilya özütü

Çikolata sosu için

- 4 çorba kaşığı (20 gr) eritilmiş tereyağı
- 2 çorba kaşığı (16 gr) kakao
- 1 çorba kaşığı (20 gr) bal veya tercih edeceğiniz bir başka doğal tatlandırıcı
- 2 çorba kaşığı içme suyu

Yapılışı

1. Fırını 150 °C'ye ayarlayın.
2. Geniş bir kapta limon suyu, karbonat, hurma suyu, fındık ve yumurtayı karıştırın.
3. Çok kısık ateşte tereyağını eritin, üzerine rendelenmiş peyniri ekleyin ve iyice akışkan olup fokurdayana dek eritin.
4. Eritilmiş peyniri geniş kaptaki fındıklı karışıma ekleyin. Tahta bir kaşığı ıslatın ve bu kaşık yardımı ile hepsini karıştırarak ele hafif yapışan bir hamur elde edin.
5. Ellerinizi ıslatın, hamurdan küçük parçalar koparın. Hamuru elinizde yuvarlayarak ince uzun bir şekil verin. Pişirme kâğıdı serilmiş bir fırın tepsisinin üzerine en az 2 cm aralıklarla yerleştirin. Aynı işlemi tüm hamura tekrarlayın. Hamurun tam iki katına çıkacağını göz önünde bulundurun.
6. Önceden ısıtılmış 150 °C fırında 15-20 dakika pişirin. Soğutun.
7. İç kreması malzemelerini pürüzsüz olana dek çırpın.
8. Pişen hamurları bir bıçak yardımı ile ortadan kesin. Her bir yuvarlağın içine dolgu kreması koyun. Üzerini kapatın ve servis tabağına dizin.
9. Çikolata sosunu hazırlamak için tereyağını kısık ateşte eritin. Ateşten alın. Ilındığında içine kakao, bal ve suyu ekleyip pürüzsüz olana dek çırpın. Sosu krema dolgulu hamurların üzerine bir fırça yardımı ile sürün.
10. Buzdolabında soğutup servis edin.

Hurmalı Puding

Hazırlık süresi 30 dakika

Malzemeler (4 porsiyon için)
* 2 su bardağı ev yapımı sıcak hindistancevizi sütü
* 200 gr hurma

Yapılışı
1. Hurmaların çekirdeklerini çıkarın.
2. Sıcak sütü geniş bir kâseye alın, içine hurmaları ekleyin. 10 dakika bekletin. Pürüzsüz olana dek çekin.
3. Kâselere paylaştırıp 1 gece buzdolabında bekletin. Servis edin.

Karışık Meyveli Parfe

Hazırlık süresi 15 dakika

Malzemeler (6 porsiyon için)

Harcı için

- 4 su bardağı (800 gr) süzme yoğurt
- 4 çorba kaşığı (80 gr) ev yapımı krem peynir veya çok yumuşak tuzsuz tam yağlı peynir
- 4-5 damla vanilya özütü
- 2-3 çorba kaşığı (40-60 gr) bal veya tercih edeceğiniz başka bir doğal tatlandırıcı
- 1 adet orta boy şeftali (kabuğu soyulup minik minik doğranmış)

Üzeri için

- 4-5 adet karadut/böğürtlen (mevsimine göre)
- Nar taneleri

Yapılışı
1. İlk dört malzemeyi mikser yardımı ile yaklaşık 2 dakika çırpın. Yarısını 8x16 cm ebatlarında dikdörtgen bir kalıba dökün.
2. Üzerine şeftalileri dizin. Kalan harcı üzerine ekleyin.
3. Üzerini meyveler ile süsleyin.
4. Kaskatı olmasına izin vermeden buzlukta sadece iki saat bekletin. Dilimleyip servis edin.

Peynir Cipsi

Hazırlık süresi 25 dakika

Malzemeler (40 adet cips için)
* 1 su bardağı (100 gr) ince rendelenmiş dil veya parmesan peyniri
* 1 diş rendelenmiş sarımsak
* Yarımçay kaşığı tatlı toz kırmızıbiber
* 1 çimdik kaya tuzu

Yapılışı
1. Fırını 180 ºC'ye ayarlayın.
2. Tüm malzemeleri tahta bir kaşıkla birbirine karıştırın. Fırın tepsinize pişirme kâğıdı serin.
3. Her bir seferde bir tatlı kaşığı kadar karışımı 3 cm aralıklar bırakarak sırayla tepsiye dizin. Üzerine hafifçe bastırın. İyice kızarıp eriyene ve altın rengi olana dek pişirin. Ne kadar kahverengi olursa o kadar kıtır kıtır oluyorlar ancak kolayca yanabildikleri için çok dikkat ediniz.
4. Fırından alıp ılınmasını bekleyin, tercihen ev yapımı ranch sosla birlikte afiyetle tüketin.

Sağlıklı Balık Kraker

Hazırlık süresi 40 dakika

Malzemeler (50 adet kraker için)
- 1 su bardağı (80 gr) badem unu veya un gibi çekilmiş iç ayçekirdeği
- 1 su bardağı (120 gr)ince rendelenmiş tam yağlı İzmir tulum veya Ezine peyniri
- Yarım çay kaşığı toz soğan
- 1 tatlı kaşığı hurma suyu

Yapılışı
1. Tüm malzemeleri derin bir kâsede karıştırıp iyice yoğurun.
2. Buzdolabında yarım saat bekletin. Fırınınızı 160 °C'ye ayarlayın.
3. Hamuru iki pişirme kâğıdının arasına yerleştirip oklava yardımı ile 1 cm kalınlığında açın. Balık şeklinde bir kurabiye kalıbı kullanarak minik şekiller kesin.
4. Kestiğiniz hamurları pişirme kâğıdı serilmiş bir fırın tepsisine 2 cm aralıklarla yerleştirin.
5. 20 dakika pişirin. Fırından çıkarıp soğutun, servis edin.

Baharatlı Çubuk Kraker

Hazırlık süresi 30 dakika

Malzemeler (40 adet kraker için)
- 1 su bardağı (120 gr) tam yağlı İzmir tulum peyniri veya Ezine peyniri rendesi
- 1 su bardağı (80 gr) badem unu
- Yarım çay kaşığı karbonat
- 1 tatlı kaşığı elma veya üzüm sirkesi
- 1 diş sarımsak rendesi
- Yarım çay kaşığı zerdeçal
- 1/4 çay kaşığı tatlı toz kırmızıbiber
- 1 tatlı kaşığı domates salçası

Yapılışı
1. Fırınınızı 160 ºC'ye ayarlayın.
2. Geniş bir kapta tüm malzemeleri ele yapışmayan bir hamur oluşana dek yoğurun.
3. Hamuru yapışmaz bir yüzeyde 1 cm kalınlığında açın. Hamuru ince çubuklar şeklinde kesip yine pişirme kâğıdı serilmiş fırın tepsinize 2 cm aralıklarla dizin. Hamur oldukça kırılgan olacağı için gerekmesi halinde parmaklarınız ile şekil vererek düzeltin.
4. Altın rengini alana dek yaklaşık 20 dakika boyunca pişirin.
5. Çıkarın, soğutun ve servis edin.

Tohum Kraker

Hazırlık süresi 70 dakika

Malzemeler (20 adet kraker için)
- 1 su bardağı (100 gr) iç ay çekirdeği
- 3 çorba kaşığı (15 gr) toz keten tohumu
- 3 çorba kaşığı mavi haşhaş tohumu
- 1/4 su bardağı (20 gr) badem unu
- 1/3 su bardağı içme suyu
- Yarım çay kaşığı kaya tuzu

Yapılışı
1. Su dışındaki tüm malzemeleri derin bir kaba yerleştirin, bir kaşık yardımıyla birbirine harmanlayın.
2. Suyu ekleyin ve macun kıvamını alana dek karışıma yedirin.
3. Pişirme kâğıdı serilmiş bir fırın kabına karışımı bastırarak yayın.
4. Önceden ısıtılmış 160 ºC fırında 10 dakika pişirin. Çıkartıp küçük kareler halinde dilimleyin.
5. Tekrar fırına verin ve yaklaşık 50 dakika, iyice kızarıp katılaşıncaya dek pişirin. Kolayca yandığı için sık sık kontrol etmeyi unutmayın.
6. Soğutun, dikkatlice tepsiden ayırıp servis edin.

İpucu

Bu yapımı çok kolay krakerlere 1 çorba kaşığı salça ekleyip domatesli krakerler elde edebilirsiniz. Avokado, peynir ve zeytin ezmesi ile servis edilmesi önerilir.

Acılı Keten Tohumlu Kraker

Hazırlık süresi 30 dakika

Malzemeler (40 adet kraker için)
- 1 su bardağı (120 gr) tam yağlı İzmir tulum veya Ezine peyniri rendesi
- 1 su bardağı (80 gr) badem unu veya un gibi çekilmiş kaju fıstığı
- Yarım çay kaşığı karbonat
- 1 tatlı kaşığı elma veya üzüm sirkesi
- 4 çorba kaşığı (20 gr) toz keten tohumu
- 2 çorba kaşığı acı pul biber

Yapılışı
1. Fırınınızı 160 °C'ye ayarlayın.
2. Geniş bir kapta tüm malzemeleri ele yapışmayan bir hamur oluşana dek yoğurun.
3. Hamuru yapışmaz bir yüzeyde 1 cm kalınlığında açın. Hamuru küçük kareler şeklinde kesip pişirme kâğıdı serilmiş fırın tepsinize dizin.
4. Altın rengini alana dek yaklaşık 20 dakika boyunca pişirin.
5. Çıkarın, soğutun ve servis edin.

Kajulu Peynirli Kraker

Hazırlık süresi 25 dakika

Malzemeler (30-35 adet kraker için)
- 100 gr (1 su bardağı + 4 çorba kaşığı) un gibi çekilmiş çiğ kaju fıstığı
- 1 su bardağı (120 gr) tam yağlı İzmir tulum veya Ezine peyniri
- 1 çorba kaşığı üzüm veya elma sirkesi
- Yarım çay kaşığı karbonat
- 1 diş rendelenmiş sarımsak
- Çörekotu (üzeri için)

Yapılışı
1. Tulum peynirini rendenin en ince tarafında rendeleyin, geniş bir kaba aktarın.
2. Üzerine kaju fıstığı ununu, sirke, sarımsak ve karbonatı ekleyin. Ele yapışmayan kurabiye hamuruna benzeyen bir hamur oluşana dek iyice yoğurun.
3. Yapışmaz bir yüzeyde, tercihen iki adet pişirme kâğıdı arasına yerleştirilen hamuru oklava yardımı ile 1 cm kalınlığında açın. Minik kareler halinde kesin.
4. Fırını 150 ºC'ye ayarlayın.
5. Pişirme kâğıdı ile kaplanmış fırın tepsisine 2 cm aralıklarla yerleştirin. Üzerini çörekotu ile süsleyin. Yaklaşık 10-15 dakika pişirin. Fırında ne kadar kalırsa o kadar kıtır kıtır olacaktır ancak çabuk yandığı için çok dikkatli olmanızı öneririm.

Yerfıstıklı Cips

Hazırlık süresi 45 dakika

Malzemeler (40-45 adet cips için)
- 1 su bardağı (100 gr) yer fıstığı içi
- 200 gr Ezine veya İzmir Tulum peyniri
- 1 orta boy yumurta akı

Yapılışı
1. Fırını 160 °C'ye ayarlayın.
2. Peyniri bir çatal yardımı ile iyice ezin, yer fıstıklarını kahve değirmeni veya mutfak robotunuzda un gibi olana dek çekin.
3. Yumurta akını katı bir köpük olana dek çırpın.
4. Tüm malzemeleri karıştırıp yoğurun ve hamur haline getirin.
5. Ellerinizi ıslatın, hamurdan silindir şeklinde parçalar koparıp pişirme kâğıdı serilmiş fırın tepsinize 3-4 cm aralıklarla dizin. 20-25 dakika pişirin, soğutun ve servis edin. Fırında ne kadar çok kalırsa o kadar kıtır olacaklardır.

Balkabaklı Biscotti

Hazırlık süresi 70 dakika

Malzemeler (12 adet için)

Biscotti için

- 1 orta boy yumurta
- 1 çimdik kaya tuzu
- 2 çorba kaşığı (20 gr) hurma suyu veya dilediğiniz başka bir doğal tatlandırıcı
- 8 çorba kaşığı (40 gr) eritilmiş tereyağı
- 1 çay kaşığı karbonat
- 1 su bardağı (80 gr) toz çiğ fındık
- 1 orta boy dilim balkabağı (veya hazırda varsa Yarımsu bardağı balkabağı püresi)
- 1 tatlı kaşığı tarçın
- 1 tatlı kaşığı sirke

Çikolata kreması için

- 6 çorba kaşığı (42 gr) tahin
- 1 çorba kaşığı (8 gr) kakao
- 1 çorba kaşığı (20 gr) bal

Yapılışı

1. Fırını 180 °C'ye ayarlayın, balkabağını dilimleyip 20 dakika pişirin.
2. Fırından çıkarın, ancak fırını söndürmeyin.
3. Balkabağını mutfak robotunuzda püre haline getirin. Bir kenara ayırın.
4. Yumurta ve tuzu çırpın. Hurma suyu, tereyağı, karbonatı ekleyip birkaç dakika daha çırpmaya devam edin.
5. Yarım su bardağı balkabağı püresi, toz fındık, tarçın ve sirkeyi de ekleyip koyu bir kek hamuru elde edin.
6. Hamuru 20x10 cm ebatlarında baton silikon veya yağlanmış cam kalıba dökün, üzeri kızarana dek yaklaşık 30 dakika pişirin.
7. Çikolatalı kremayı yapmak için listede belirtilen malzemeleri çırpma teli ile iyice karışana dek çırpın.
8. Keki soğutun, çok nazik ve dikkatli bir şekilde parmağınız kalınlığında dilimleyin.
9. Fırını 150 °C'ye ayarlayın. Fırın tepsinize pişirme kâğıdı serin.
10. Dilimleri çok nazikçe ve aralıklı olarak fırın tepsisine dizin. 10 dakika daha pişirin. Tepsiyi fırından alın, dilimleri ters çevirip bir 10 dakika daha pişirin.
11. Tepsiyi fırından çıkarın, soğutun. Kremayı bir çatal yardımı ile biscottilerin üzerinde gezdirin, kahve/çay ile birlikte servis edin.

Kaymaklı Dondurma

Hazırlık süresi 10 dakika

Malzemeler (2 porsiyon için)
- 3 adet orta boy (390 gr) muz
- 3 çorba kaşığı (60 gr) ev yapımı taze süt kaymağı
- 1-2 damla vanilya özütü (isteğe bağlı)

Yapılışı
1. Muzları ince ince dilimleyin, buzlukta en az 4 saat dondurun.
2. Muz dilimlerini buzluktan çıkarın, vanilya ve kaymak ile birlikte mutfak robotundan pürüzsüz bir kıvam alana dek geçirin. Hemen servis edin.

Kahveli & Hurmalı Muz Dondurması
Hazırlık süresi 10 dakika

Malzemeler (2-3 porsiyon için)
- 3 adet orta boy (390 gr) muz
- 4 adet (32 gr) hurma
- 1 çorba kaşığı (10 gr) çekilmiş kahve

Yapılışı
1. Önden muzları dilimleyip derin dondurucuda en az 2-3 saat dondurun.
2. Hurmaların çekirdeklerini çıkarın.
3. Muz, kahve ve hurmaları mutfak robotunuzun haznesine yerleştirip dondurma kıvamına gelene dek yüksek devirde parçalayın. Hemen servis edin.

Vişneli Çubuk Dondurma

Hazırlık süresi 15 dakika

Malzemeler (3 adet çubuk dondurma için)
- 1 su bardağı (200 gr) ev yapımı süzme yoğurt
- Yarım su bardağı (100 gr) ev yapımı süt kaymağı
- 1 çay kaşığı vanilya özütü
- Yarım su bardağı çekirdeği çıkartılmış dondurulmuş veya taze vişne
- 2 çorba kaşığı (20 gr) hurma suyu veya tercih edeceğiniz başka bir doğal tatlandırıcı

Yapılışı
1. Vişne dışındaki diğer tüm malzemeleri pürüzsüz olana dek mutfak robotundan geçirin,
2. Karışıma vişneleri ekleyin, tahta bir kaşıkla hafifçe karışıma yedirin ve dondurma kalıplarına paylaştırın.
3. Buzlukta en az 4 saat bekletin. Servis edin.

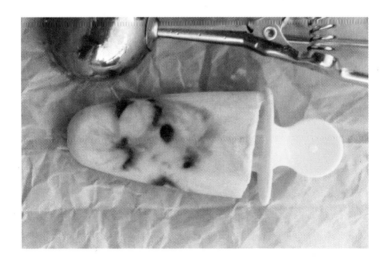

Limonlu Çubuk Dondurma

Hazırlık süresi 10 dakika

Malzemeler (3 adet çubuk dondurma için)
- Yarım su bardağı (100 ml) kefir
- Yarım su bardağı (100 gr) süt kaymağı
- 3-4 çorba kaşığı bal (ağız tadınıza göre)
- Yarım limonun suyu ve kabuğunun rendesi
- 1 çay kaşığı vanilya özütü
- 3 ince dilim limon

Yapılışı
1. Dondurma kalıplarınızın her birinin içine bir dilim limon yerleştirin.
2. Kalan tüm malzemeleri pürüzsüz olana dek mutfak robotundan geçirin, çubuk dondurma kalıplarının içine, limonların üzerini kapatacak şekilde doldurun.
3. Buzlukta en az 4 saat bekletin. Servis edin.

Karaorman Dondurma

Hazırlık süresi 10 dakika

Malzemeler (4 porsiyon için)
- 2 adet orta boy avokado
- 10 adet (80 gr) hurma
- 3/4 su bardağı vişne (çekirdekleri çıkartılmış ve donuk)
- 4 çorba kaşığı (32 gr) kakao
- 1 su bardağı süt veya badem/fındık sütü

Yapılışı
1. Avokadoların kabuklarını soyup çekirdeklerini çıkarın. Mutfak robotunuzun haznesine yerleştirin.
2. Hurmaların çekirdeklerini çıkarın ve avokadoların üzerine ekleyin.
3. Vişneler dışındaki diğer kalan malzemeleri de ekleyin. Yüksek devirde puding kıvamına gelene dek çekin. İçine donuk vişneleri ekleyip karıştırın. Karışımı geniş bir saklama kabına aktarıp dondurma makinanıza veya buzluğa yerleştirin.
4. Eğer dondurma makinanız yok ise saat başı buzluktan çıkarıp karıştırmak suretiyle en az dört saat buzlukta bekletin.

İncir Dondurması

Hazırlık süresi 10 dakika

Malzemeler (2 porsiyon için)
- 4 adet orta boy taze incir
- 2 çorba kaşığı tepeleme (60 gr) taze süt kaymağı

Yapılışı
1. İncirlerin kabuklarını soyun, dilimleyin ve geniş bir kaba aktarın. Süt kaymağını ekleyip el blenderı yardımı ile pürüzsüz kıvama gelene dek parçalayın.
2. Her yarım saatte bir kaşıkla karıştırmak sureti ile buzlukta 2-3 saat bekletin. Servis edin.

Kaju Kremalı Pasta

Hazırlık süresi 4 saat

Malzemeler (4 adet mini pasta için)
- 1 su bardağı (100 gr) çiğ kaju fıstığı
- 2 adet küçük boy (200 gr) olgun muz
- 2 çorba kaşığı bal
- 4 çay kaşığı ev yapımı şokella (tarifini Birinci Bölüm'de bulabilirsiniz)

Yapılışı
1. Kaju fıstıklarını üzerini geçecek kadar içme suyu içinde en az 4 saat bekletin.
2. Süzün, kabuğunu soyduğunuz muz ve bal ile birlikte mutfak robotunuzun haznesine yerleştirin.
3. Yüksek devirde pürüzsüz bir krema olana dek parçalayın. Muffin kalıplarına paylaştırın.
4. Her bir kalıbın ortasına 1 çay kaşığı kakaolu fındık ezmesi koyun. Küçük bir kaşık yardımıyla karıştırarak yayın.
5. Buzlukta iki saat dinlendirip servis edin.

Klasik Bitter Çikolata

Hazırlık süresi 15 dakika

Malzemeler (9-10 adet için)
- 8 çorba kaşığı eritilmiş tereyağı (40 gr) veya hindistancevizi yağı
- 3 çorba kaşığı pekmez/bal (60 gr) veya tercih edeceğiniz başka bir doğal tatlandırıcı
- 3 çorba kaşığı (24 gr) kakao

Yapılışı
1. Tereyağını kısık ateşte eritin, pekmez, kakao ekleyip pürüzsüz kıvama gelene dek çırpın.
2. Çikolata kalıplarına döküp en az 4 saat buzlukta bekletin. Kolayca eridiği için buzlukta saklayın ve direkt buzluktan servis edin.

İpucu
Tereyağı miktarına çok dikkat edin aksi halde yumuşak bir çikolata elde edersiniz.

Dolgulu Bitter Çikolata

Hazırlık süresi 30 dakika

Malzemeler (9 adet için)

Kreması için
- 4-5 adet dondurulmuş çekirdeksiz vişne
- 2 çorba kaşığı (40 gr) süt kaymağı veya hindistancevizi kreması
- 1 çorba kaşığı bal (20 gr) veya tercih edeceğiniz başka bir doğal tatlandırıcı

Çikolata için
- 8 çorba kaşığı eritilmiş tereyağı (40 gr) veya hindistancevizi yağı
- 3 çorba kaşığı (60 gr) üzüm pekmezi/bal veya tercih edeceğiniz bir başka doğal tatlandırıcı
- 3 çorba kaşığı (24 gr) kakao

Yapılışı

1. Krema malzemelerini bir çatalla ezerek birbirine karıştırın. Buzluğa koyup yarım saat dondurun.
2. Çikolatayı yapmak için tereyağını eritin, ılındığında içine pekmez ve kakaoyu ekleyip pürüzsüz olana dek çırpma teli ile çırpın.
3. Çikolata kalıplarına çikolatanın yarısını doldurun, ortasına vişne kremasını ekleyip seri bir şekilde kalan çikolata ile üzerini kapatın.
4. Servis etmeden önce buzlukta en az 4 saat bekletin. Kolayca eridiği için buzlukta saklayın ve direkt buzluktan servis edin.

İpucu

Vişne yerine çilek, böğürtlen, yaban mersini veya frambuaz ile de deneyin!

Koko Çikolata

Hazırlık süresi 15 dakika

Malzemeler (12 adet için)
- 3/4 su bardağı (60 gr) toz rende hindistancevizi
- 1 çimdik kaya tuzu
- 2-3 damla vanilya özütü
- 3 çorba kaşığı (15 gr) eritilmiş tereyağı veya hindistancevizi yağı
- 2 çorba kaşığı (40 gr) bal
- 3 çorba kaşığı (24 gr) kakao

Yapılışı
1. Tüm malzemeleri geniş bir kaba koyun. Tahta bir kaşık veya spatula yardımı ile iyice karıştırın.
2. Çikolata kalıplarına paylaştırıp sıkıca bastırın. En az iki saat buzdolabında veya yarım saat buzlukta bekletin. Buzdolabında saklayın.

Tahinli Çikolata
Hazırlık süresi 15 dakika

Malzemeler (9 adet için)
- 5 çorba kaşığı (35 gr) tahin
- 3 çorba kaşığı (60 gr) pekmez / bal veya tercih edeceğiniz başka bir doğal tatlandırıcı
- 2 çorba kaşığı (16 gr) kakao
- 2 çorba kaşığı (10 gr) toz fındık

Yapılışı
1. Geniş bir kapta tahin, pekmez, kakao ile toz fındığı çırparak karıştırın.
2. Çikolata/dondurma kalıplarına döküp en az 4 saat buzlukta bekletin. Oda ısısında kolayca eriyeceği için buzlukta saklayın ve direkt buzluktan servis edin.

İpucu
Bu tarif dondurma olarak da tüketilebilir.

Kahveli Çikolata

Hazırlık süresi 15 dakika

Malzemeler (6 adet için)
- 4 çorba kaşığı (80 gr) pekmez
- 1 çorba kaşığı (10 gr) Türk kahvesi
- Yarım su bardağı eritilmiş tereyağı (80 gr)veya hindistancevizi yağı
- 3 tepeleme çorba kaşığı (45 gr) kakao
- 1 çimdik kaya tuzu

Yapılışı
1. Orta boy sos tenceresinde çok kısık ateşte eritilmiş tereyağının üzerine diğer tüm malzemeleri ekleyin. Pürüzsüz olana dek çırpın ve silikon çikolata kalıplarına paylaştırın.
2. En az dört saat buzlukta bekletin. Kalıptan dikkatlice çıkarın. Kolayca eridiği için direkt buzluktan servis edin.

Beyaz Çikolata
Hazırlık süresi 20 dakika

Malzemeler (20 adet için)
- 50 gr (10 çorba kaşığı) tereyağı veya hindistancevizi yağı
- 10 gr (1 çorba kaşığı) katı kakao yağı
- 1 çimdik tuz
- 5 çorba kaşığı ev yapımı süt kreması
- 2 çorba kaşığı bal
- 10 çorba kaşığı (50 gr) toz fındık

Yapılışı
1. Tereyağı ve kakao yağını çok kısık ateşte veya benmari usulü yakmadan eritin. Ateşten alın.
2. Karışım ılındığında içine diğer malzemeleri sırası ile ekleyin.
3. Karışımı pürüzsüz kıvama gelene dek çırpın. Çikolata kalıplarına dökün.
4. En az 4 saat buzlukta dinlendirin. Kolayca eridiği için direkt buzluktan servis edin.

Sıcak Çikolata

Hazırlık süresi 15 dakika

Malzemeler (2 porsiyon için)

- 500 ml (2,5 su bardağı) ev yapımı kaju veya antepfıstığı sütü
- 140 gr ev yapımı bitter çikolata
- 2 adet çubuk tarçın
- 1 adet küçük acı kırmızıbiber (isteğe bağlı)

Yapılışı

1. Derin bir tencerede kaju veya antepfıstığı sütünü ısıtın, içine çikolataları ekleyip çırpma teli ile sürekli çırparak ve karıştırarak eritin.
2. Acı biberi kıyın, tarçın çubukları ile birlikte sıcak çikolata karışımına ekleyin. Kapağını kapatıp çok kısık ateşte 1-2 dakika bekleterek aromasının süte geçmesini sağlayın.
3. Çırpma teli ile bolca köpürterek 2 dakika daha çırpın. Süzün, sıcak servis edin.

Süt Dilimi

Hazırlık süresi 70 dakika

Malzemeler (6-8 adet için)

Kek için

- 3 yumurta
- 1 su bardağı (80 gr) toz fındık (yerine ceviz, badem, fıstık veya hepsinden azar azar da kullanabilirsiniz)
- 3 çorba kaşığı (24 gr) kakao
- 1 çay kaşığı vanilya özütü
- 8 adet (64 gr) hurma (ılık suda bekletilmiş, püre haline getirilmiş)

Arası için

- 2 çorba kaşığı süt kaymağı
- 2 çorba kaşığı sürülebilir yumuşak herhangi bir tuzsuz peynir (ev yapımı için tarifi burada)
- 1 çay kaşığı vanilya özütü
- 1-2 çorba kaşığı bal (miktarı damak tadınıza göre ayarlayınız)

Yapılışı

1. Fırını 150 ºC'ye ayarlayın.
2. Yumurtaları çırpın. Diğer kek malzemelerini ekleyip çırpmaya devam edin ve pürüzsüz kıvama getirin.
3. Tercihen pişirme kâğıdı ile kaplanmış 33,5x21,5 cm cam tepsiye hamuru döküp spatula ile yayın. Yaklaşık 30-35 dakika pişirin. Çıkarın, soğutun.
4. Krema malzemelerini oda ısısına getirin, geniş bir kaba alın. Mikser yardımı ile pürüzsüz kıvama gelene dek çırpın.
5. Keki boylamasına ortadan ikiye kesin. Kremayı ilk kek parçasının üzerine sürün, üzerine diğer kek parçasını kapatın ve buzdolabında en az 2 saat bekletin. Çıkartın, dilimleyin. Servis edin. Pişirme kâğıdına sarıp buzdolabında saklayın.

Kokostar Bar

Hazırlık süresi 3 saat

Malzemeler (10 adet küçük boy veya 5 adet büyük boy için)

İçi için

- 60 gr (3/4 su bardağı) hindistancevizi rendesi
- 3 tepeleme çorba kaşığı (90 gr) süt kaymağı
- 3 tepeleme çorba kaşığı (90 gr) ev yapımı krem peynir veya çok yumuşak tuzsuz tam yağlı peynir
- 2 çorba kaşığı (40 gr) bal
- 1 çay kaşığı vanilya özütü

Çikolata kaplaması için

- 10 çorba kaşığı (50 gr) eritilmiş tereyağı veya hindistancevizi yağı
- 5 çorba kaşığı bal (100 gr) veya tercih edeceğiniz bir başka doğal tatlandırıcı
- 6 çorba kaşığı (48 gr) kakao

Yapılışı

1. Süt kaymağı ve krem peyniri oda ısısına getirin. Mikserde yüksek devirde 1 dakika çırpın.
2. Hindistancevizi, vanilya ve balı ekleyip tahta bir kaşık yardımı ile karışıma yedirin. 1 dakika daha çırpın. Buzdolabına kaldırıp 1 saat katılaşmasını bekleyin.
3. Katılaşan karışımdan dilediğiniz büyüklükte parçalar koparın, ince uzun bar şeklini verin. Buzluğa yerleştirin. 2 saat buzlukta bekletin.
4. Çikolata kaplamasını yapmak için çok kısık ateşte tereyağını eritin, ılındığında içine bal ve kakaoyu ekleyin. Pürüzsüz olana dek çırpın.
5. İki elinize de birer çatal alın, buzluktan çıkardığınız barları sağ elinizdeki çatal yardımıyla hızlı bir şekilde çikolata sosuna batırıp çıkarın. Ters çevirerek sol elinizdeki çatala aktarın. Tekrar sosa batırarak barların tamamen sosla kaplanmasını sağlayın. Yapışmaz bir yüzeye aralıklarla dizin.
6. Buzlukta tekrar en az 2 saat dinlendirin. Kolayca eridiği için direkt buzluktan servis edin.

Gül Lokumu

Malzemeler (30-35 adet lokum için)
Lokum için
- 20 adet hurma (160-180 gr)
- 6 çorba kaşığı (30 gr) toz hindistancevizi
- 2 çorba kaşığı gül suyu
Dış kaplaması için
- 30 gr ufalanmış yenilebilir kuru gül yaprağı

Yapılışı
1. Hurmaları en az yarım saat ılık suda bekletin, çekirdeklerini çıkarıp mutfak robotunuzda hindistancevizi ve gül suyu ile birlikte macun kıvamına gelene dek çekin.
2. Oluşan hamuru mutfak tezgâhınıza alın, ince uzun bir dikdörtgen şeklini verin. Bir bıçak yardımı ile minik kareler kesin.
3. Kareleri ufalanmış gül yapraklarına bulayıp servis tabağına dizin. Buzdolabında 2 saat dinlendirip servis edebilirsiniz.

İpucu
Gül lokumu sevmiyorsanız gül suyu yerine hazırladığınız lokum hamuruna iri dövülmüş antepfıstığı, fındık, ceviz içi katabilir, lokumların dışını hindistancevizi veya susamla kaplayabilirsiniz.

Sağlıklı Kestane Şekeri

Hazırlık süresi 60 dakika

Malzemeler (5 adet büyük boy için)

- 250 gr kestane
- 3 çorba kaşığı (60 gr) bal veya dilediğiniz başka bir tür doğal tatlandırıcı
- Ev yapımı sütlü veya bitter çikolata sosu (tarifini Birinci Bölüm'de bulabilirsiniz)

Yapılışı

1. Kestaneleri yıkayın, üzerlerine bir bıçak yardımı ile çizikler atın. Düdüklü tencerenize yerleştirin ve üzerlerini geçecek kadar içme suyu ekleyin. Kısık ateşte 45 dakika pişirin.
2. Pişen kestanelerin suyunu süzün, dış ve iç kabuklarını soyun.
3. Pişmiş ve ayıklanmış kestaneleri mutfak robotunuzda püre haline getirin. Üzerine 3 çorba kaşığı bal ekleyin. Karıştırın.
4. Kestane püresinden iri ceviz büyüklüğünde parçalar koparıp top haline getirin. Servis tabağına dizin.
5. Tereyağını çok kısık ateşte eritin. Ilındığında bal, su ve kakaoyu ekleyin, çırpma teli ile pürüzsüz bir çikolata sosu elde edene kadar bir dakika boyunca karışımı çırpın.
6. Karışımı kestane toplarının üzerine dökün. Buzdolabında en az 2 saat dinlendirin, servis edin.

Sağlıklı Fıstıklı Baklava

Hazırlık süresi 20 dakika

Malzemeler (8-10 adet için)
- 1 su bardağı toz antepfıstığı (80 gr) veya 4/5 su bardağı antepfıstığı içi
- 10-12 adet (120 gr) orta boy hurma

Yapılışı
1. Hurmaları yıkayın, çekirdeklerini çıkarın.
2. Antepfıstıkları ile birlikte mutfak robotunuzun haznesine yerleştirin. Karışım birbirine iyice nüfuz edip katı bir hamur oluşana dek* yüksek devirde çekin.
3. Oluşan hamuru ellerinizi ıslatıp bir pişirme kâğıdının üzerine alın. İnce uzun rulo şekil verip sarın, buzdolabında 1 saat bekletin. Dilimleyip servis edebilirsiniz.

Not
Ele çok hafif yapışan bir hamur oluşması gerekiyor, çok yapışkan olur ve şekil almazsa hurma fazla gelmiş demektir ve daha fazla fıstık eklemeniz gerekir.

Mozaik Kek

Hazırlık süresi 75 dakika

Malzemeler (1 büyük boy kek için)
- 4 adet küçük boy yumurta (benimkiler çok ufaktı, yerine 3 adet orta boy kullanabilirsiniz)
- 3/4 su bardağı (150 ml) hurma suyu veya tercih edeceğiniz başka bir sıvı doğal tatlandırıcı
- 3/4 su bardağı (150 ml) badem, fındık veya ceviz sütü (normal süt ile de olur)
- 75 ml (yaklaşık 1/3 su bardağı) zeytinyağı veya sıvı hindistancevizi yağı
- 3/4 su bardağı (100 gr) kavrulmamış karabuğday unu
- 4 çorba kaşığı (30-32 gr) hindistancevizi unu
- 3 çorba kaşığı kakao
- 1 çay kaşığı karbonat
- 1 çorba kaşığı limon suyu
- 1 çay kaşığı limon kabuğu rendesi
- 1 çay kaşığı vanilya özütü
- 1 fiske kaya tuzu
- 1/2 su bardağı kuru üzüm (isteğe bağlı)

Yapılışı
1. Fırını 180 °C'ye ayarlayın.
2. Yumurtaları hurma suyu ile birlikte köpük köpük olana dek çırpın.
3. Zeytinyağı ve sütü ilave edip homojen olana dek çırpmaya devam edin.
4. Kavrulmamış karabuğday unu, hindistancevizi unu, karbonat, limon suyu, kabugu, vanilya özütünü de ekleyin. Homojen olana dek karıştırın.
5. Kek kalıbını zeytinyağı veya hindistancevizi yağı ile yağlayın, hamurun dörtte üçünü kalıba dökün.
6. Kalan hamura kakaoyu ekleyin, homojen olana dek karıştırın. Kuru üzümleri ekleyin. Kakaolu üzümlü hamuru da kalıba dökün, bir çatal yardımı ile hafifçe diğer hamura karıştırın.
7. Yaklaşık 40-45 dakika pişirin, bir kürdanla pişip pişmediğini kontrol edin. Soğuduktan sonra servis edebilirsiniz.

Ölçüler

Bu kitaptaki tarifler uygulanırken aşağıdaki ölçüler kullanılmıştır.

1 su bardağı: 200 ml
1 yumurta: 50-60 gr

1 su bardağı badem unu: 80 gr
Yarım su bardağı badem unu: 40 gr
1 çorba kaşığı badem unu: 5 gr

1 su bardağı toz fındık: 80 gr
Yarım su bardağı toz fındık: 40 gr
1 çorba kaşığı toz fındık: 5 gr

1 su bardağı toz yer fıstığı: 80 gr
Yarım su bardağı toz yer fıstığı: 40 gr
1 çorba kaşığı toz yer fıstığı: 5 gr

1 su bardağı toz ay çekirdeği: 80 gr
Yarım su bardağı toz ay çekirdeği: 40 gr
1 çorba kaşığı toz ay çekirdeği: 5 gr

1 su bardağı toz keten tohumu: 80 gr
Yarım su bardağı toz keten tohumu: 40 gr
1 çorba kaşığı toz keten tohumu: 5 gr

1 su bardağı toz kaju fıstığı: 80 gr
Yarım su bardağı toz kaju fıstığı: 40 gr
1 çorba kaşığı toz kaju fıstığı: 5 gr

1 su bardağı toz rende hindistancevizi: 80 gr
Yarım su bardağı toz rende hindistancevizi: 40 gr
1 çorba kaşığı toz rende hindistancevizi: 5 gr

1 su bardağı kabuklu yer fıstığı: 50 gr
1 su bardağı kabuksuz yer fıstığı: 100 gr
1 su bardağı toz yer fıstığı: 80 gr

1 su bardağı rendelenmiş dil peyniri: 100 gr
Yarım su bardağı rendelenmiş dil peyniri: 50 gr

1 çorba kaşığı tulum/İzmir tulum/cheddar/parmesan/eski kaşar peyniri: 5-6 gr
1 su bardağı tulum/İzmir tulum/cheddar/parmesan/eski kaşar peyniri peyniri: 120 gr

1 çorba kaşığı ev yapımı krem peynir: 20 gr
1 tepeleme çorba kaşığı krem peynir: 30 gr

1 su bardağı krem peynir: 200 gr
Yarım su bardağı krem peynir: 100 gr

1 su bardağı yoğurt: 180 - 200 gr

1 su bardağı süt kaymağı: 200 gr
Yarım su bardağı süt kaymağı: 100 gr
1 çorba kaşığı süt kaymağı: 20 gr
1 tepeleme çorba kaşığı süt kaymağı: 30 gr
1 çorba kaşığı süt kreması: 10 gr

1 adet hurma: 8 gr
1 çorba kaşığı bal/pekmez: 20 gr
1 çorba kaşığı hurma pekmezi: 10 gr

1 yemek kaşığı kakao: 8 gr
1 tepeleme çorba kaşığı kakao: 12-15 gr
1 çorba kaşığı tahin: 7 gr
1 çorba kaşığı tarçın: 8 gr
1 çorba kaşığı kuru üzüm: 10 gr

1 çorba kaşığı tereyağı (eritilmiş): 5 gr
1 çorba kaşığı tereyağı (katı): 10 gr
1 çorba kaşığı zeytinyağı: 5 gr

Karbonhidrat Değerleri

* Diyabetliler için karbonhidrat sayımı yapılırken Net Karbonhidrat değeri baz alınarak hesaplama yapılmalıdır.

Gıda	Miktar	Net Karbonhidrat (g)	Lif (g)	Karbonhidrat (g)	Protein (g)	Kalori
Keten Tohumu	20 gr (4 Çorba Kaşığı)	0	8	8	6	120
Toz Fındık	20 gr (4 Çorba Kaşığı)	2	3	5	4	180
Toz Badem	20 gr (4 Çorba Kaşığı)	3	3	6	6	160
Toz Hindistan Cevizi	20 gr (4 Çorba Kaşığı)	6	10	16	4	120
Ay Çekirdeği	100 gr	13	11	24	19	582
Kabak Çekirdeği	100 gr	14	4	18	25	541
Antep Fıstığı	100 gr	17	10	27	21	568
Ceviz	100 gr	7	7	14	15	654
Yer Fıstığı	100 gr	6	9	15	28	862
Kaju Fıstığı	100 gr	26	4	30	19	553
Susam	1 çorba kaşığı	1,5	1,7	3,2	2,7	84
Toz Kakao	5 gr	1	2	3	0	12
Toz Keçiboynuzu	6 gr	3	2	5	0	13
Üzüm Pekmezi	20 gr (1 çorba kaşığı)	15	0	15	0	58
Bal	20 gr (1 çorba kaşığı)	17	0	17	0	64
Hurma	24 gr (3 adet)	16	2	18	0	66
Kuru Kayısı	10 gr (1 adet)	6,2	0,7	6,9	0,2	26
Kuru Üzüm	10 gr (1 çorba kaşığı)	6,7	0,3	7	0,3	30
Tahin	1 çorba kaşığı	2,4	0,8	3,2	2,7	87,5
Mavi Haşhaş Tohumu	10 gr (1 çorba kaşığı)	0,4	2,1	2,5	2	48
Süt Kaymağı	20 gr (1 çorba kaşığı)	1	0	1	0,8	87
Kefir	1 su bardağı	8	0	8	6,6	132
Krem Peynir	1 çorba kaşığı (20 gr)	0,4	0	0,4	1,4	57
Yumurta	1 adet (50 gr)	0,4	0	0,4	6,5	77
Dil Peyniri	100 gr	6,3	0	6,3	17,2	271
Tulum Peyniri	100 gr	2,5	0	2,5	22	364
Cheddar Peyniri	100 gr	1	0	1	25	403
Parmesan Peyniri	1 çorba kaşığı (5 gr)	0	0	0	2	22
Süzme Yoğurt	100 gr	4	0	4	5	85
Zeytinyağı	1 çorba kaşığı	0	0	0	0	53
Tereyağı	1 çorba kaşığı	0	0	0	0,1	156
Hindistan Cevizi Yağı	100 gr	0	0	0	0	862
Kasap Yapımı Sucuk	100 gr	0	0	0	20	300
Pastırma	100 gr	0	0	0	30	250
Muz	1 adet	35	3,5	38,5	2	156
Elma	1 adet	22	4	26	0,7	104
Vişne	1 adet	0,6	0,1	0,7	0	3
Çilek	1 adet	0,8	0,3	1,1	0,1	5
Mandalina	1 adet	10	2	12	1	63
Şeftali	1 adet orta boy	10,7	2	12,7	1	50
Balkabağı (pişmiş)	100 gr	5	1	7	1	20
Yeşil Kabak	100 gr	3	1	6	1	16
Havuç	1 adet orta boy	8	3	16	1	35
Alabaş (pişmiş)	100 gr	7	1	11	2	29
Avokado	1 adet	12	9	21	3	227
Karnabahar (pişmiş)	100 gr	4	2	8	2	23
Salça	100 gr	25	4	29	4	82
Kapya Biber (pişmiş)	100 gr	6	1	7	1	28
Mantar (pişmiş)	100 gr	3	2	5	2	28
Brokoli (pişmiş)	100 gr	2	3	5	3	28

Kaynak & İlham

- http://www.ruled.me
- http://mariamindbodyhealth.com
- http://pelkeyphotos.blogspot.com
- http://www.forestandfauna.com
- http://www.ditchthecarbs.com
- http://www.thepaleomom.com
- https://wholefoodsimply.com
- http://www.genaw.com
- http://elanaspantry.com
- http://alldayidreamaboutfood.com
- http://theprimitivepalate.com
- http://thenourishinghome.com
- http://www.uplateanyway.com
- http://www.lowcarbsosimple.com
- http://www.360familynutrition.org
- http://nutritiondata.self.com
- http://beslenmebulteni.com
- *Wheat Belly 30 Minutes or Less Cookbook*-William Davis, Rodale Books, 2013)
- *I Quit Sugar The Chocolate Cookbook*-Sarah Wilson, E-book, 2013.
- Karatay Lezzetleri Facebook Grubu adminleri sevgili Naime Çolak Işık & Özlem Keskin